Goya

Tzvetan Todorov

Goya
A la sombra de las Luces

Traducción de
Noemí Sobregués

Prólogo de
José María Ridao

Galaxia Gutenberg

También disponible en eBook

Título de la edición original: *Goya à l'ombre des Lumières*
Traducción del francés: Noemí Sobregués

Publicado por:
Galaxia Gutenberg, S.L.
Av. Diagonal, 361, 2.º 1.ª
08037-Barcelona
info@galaxiagutenberg.com
www.galaxiagutenberg.com

Primera edición en Galaxia Gutenberg: septiembre de 2011
Primera edición en este formato: marzo de 2017
Segúnda edición: febrero de 2019

© Tzvetan Todorov, 2011
© de la traducción: Noemí Sobregués, 2011
© del prólogo, José María Ridao, 2011
© Galaxia Gutenberg, S.L., 2017

Preimpresión: Maria Garcia
Impresión y encuadernación: Ulzama Digital
Depósito legal: B. 4038-2017
ISBN: 978-84-8109-466-4

Para Pierre Skira

Prólogo

La imagen de Goya como artista extravagante y rudo, dotado para la pintura pero ignorante de las ideas artísticas, culturales y políticas que agitaron su tiempo, es idéntica a la que los autores de la Generación del 98 consagraron sobre Cervantes, caracterizado como un «ingenio lego» al que el alma de la nación habría dictado una obra superior a su talento. Dos de los mayores artistas de la historia de España, dos de los genios cuya influencia universal y sin fronteras es más reconocida y resulta más indiscutible, quedaban reducidos en su propio país a simples instrumentos de una misteriosa inspiración colectiva de la que no habrían sido más que intérpretes accidentales, meros brazos ejecutores. En 1925 Américo Castro demostró en un ensayo cuyo título podría parecer anodino de no tomarse en consideración el clima de opinión contra el que reaccionaba, *El pensamiento de Cervantes*, que una obra como el *Quijote* manifestaba en su concepción, y en algunos de sus mejores episodios y de sus páginas, una incontestable familiaridad del autor con las ideas de Erasmo, por entonces perseguidas en España. A principios del siglo XVII, cuando Cervantes escribe el *Quijote*, los erasmistas encarnaban un contrapunto ideológico a la deriva autoritaria que desencadenó en toda Europa el principio según el cual la religión del soberano determinaba la de los súbditos, *cuius regio, eius religio*, y que en España amparaba los atropellos de un poder político asociado al catolicismo, de los que Cervantes, de origen converso, habría sido una de sus víctimas.

El propósito de *Goya. A la sombra de las Luces*, de Tzvetan Todorov, es paralelo al que persiguió Américo Castro con *El pensamiento de Cervantes*. Como Castro al desenterrar el erasmismo presente en el *Quijote*, Todorov revela las ideas ilustradas que subyacen en la pintura de Goya, sin las cuales no puede comprenderse la exacta dimensión de lo que ésta representa en la historia del arte. No responde a la casualidad el hecho de que, en las primeras páginas del ensayo,

Todorov muestre su sorpresa por la descripción del genio de Goya que hace Ortega, semejante, por lo demás, a la que Unamuno y otros autores de la Generación del 98 trazan del de Cervantes. En ambos casos, la admiración por la obra no es incompatible con un abierto menosprecio del talento del autor. Para Ortega, filósofo que elogia a las élites y fustiga a las masas, Goya aborda el arte de la pintura con la mentalidad propia de un «obrero manual», al punto de que sus escritos recuerdan «los de un ebanista». Todorov, en cambio, distingue en ellos lo que Ortega no alcanza a ver: el esbozo de un proyecto artístico que contempla los turbulentos acontecimientos de la época desde la perspectiva de las ideas ilustradas, que, como las erasmistas en tiempos de Cervantes, se encontraban perseguidas y bajo sospecha.

La generalización del nombre despectivo de «afrancesados» para referirse en España a quienes hasta el estallido de la Revolución de 1789 se designaba con el de «ilustrados», está relacionada, sin duda, con la invasión napoleónica. Pero la intención y las resonancias ideológicas de esta sustitución de un nombre por otro obedecieron a razones más profundas y desencadenaron, con el transcurso del tiempo, efectos difíciles de neutralizar. Llamar «afrancesados» a los ilustrados buscaba convertirlos en cómplices de los crímenes del ejército de ocupación, así como de la imposición de José Bonaparte en el trono de España. Además, incluía la subrepticia advertencia de que, como se habría demostrado en Francia, la adopción de las ideas ilustradas llevaba inexorablemente a la subversión del orden monárquico tradicional. Si se quería evitar la Revolución y, en el caso de España, la instauración de una dinastía extranjera –venían a decir quienes descalificaban a sus adversarios políticos llamándolos «afrancesados»–, había que combatir no sólo la revolución sino también las ideas ilustradas, y para ello nada mejor que recurrir a las esencias del pasado. La invasión napoleónica abrió las puertas, como reacción política, a una reivindicación ideológica de la monarquía anterior a la llegada de los Borbones a la Península en 1700. De acuerdo con esta visión auspiciada por la invasión napoleónica, Felipe V y sus sucesores eran miembros de una dinastía que, además de francesa como la de los sobrevenidos Bonaparte, traicionó en nombre de las ideas ilustradas el principio que había hecho de España un Imperio: la indisoluble asociación del poder político con el catolicismo. La deriva autoritaria de la que las ideas erasmistas asumidas por Cervantes habían encarnado un contrapunto regresaba de nuevo al primer plano político, sólo que, a comienzos del siglo XIX, ya no tenía únicamente por enemigos a los judíos y musulmanes, como en tiempos de los Reyes Católicos, ni a los luteranos y calvinistas, como en los de Felipe II, sino también a los ilustrados, despreciados como «afrancesados».

Si Ortega no ve contradicción entre la admiración por la pintura de Goya y el abierto menosprecio del talento del artista, es por la misma razón por la que la Generación del 98 hace otro tanto con Cervantes: el orgullo nacionalista exige reivindicar sus respectivas creaciones como timbres de gloria para España, pero, al tiempo, esas creaciones están inspiradas por corrientes ideológicas que el orgullo nacionalista considera ajenas a las esencias del pasado español. Un camino posible para salvar la contradicción consistiría, precisamente, en considerar que el genio no responde a los impulsos de su talento artístico individual, alimentado, entre otros innumerables materiales, por ideas libremente adoptadas, sino al dictado misterioso del alma de la nación. Refiriéndose a la llegada de los Borbones y a la adopción de las ideas ilustradas por parte de uno de sus más destacados representantes, el monarca Carlos III, Ortega describió el XVIII como el siglo menos español de la historia de España. Fue, sin embargo, en ese siglo y bajo ese reinado, cuando Goya se convierte en pintor de la Corte, y también cuando entra en contacto y entabla amistad con los ministros y otros personajes destacados de la España del momento. Como recoge Todorov, Ortega despacha estas circunstancias mediante una conjetura dramatizada más que a través de una lectura sin prejuicios de los escritos de Goya. De ellos no se desprende en ningún caso la imagen de artista rudo y extravagante, de pintor con mentalidad de «obrero manual» y expresión de «ebanista», y de ahí que Ortega se vea en la tesitura de sacrificar la verdad a la verosimilitud de un relato imaginario en el que Goya escucha hablar a su círculo de amigos ilustrados. Puesto que «es inculto, lento de espíritu», fantasea Ortega arrogándose la autoridad de un fantasmagórico testigo de una velada inexistente, «no entiende bien lo que oye».

En la prolífica producción de Goya abundan los cuadros y las escenas posteriormente convertidos en iconos, sobre todo entre las obras que no pinta por encargo sino por una necesidad interior que, según apunta Todorov, va manifestándose con creciente radicalidad a partir de hechos sucesivos, como la enfermedad que le produjo la sordera, la ruptura sentimental con la Duquesa de Alba y la rebelión popular contra el ejército napoleónico. Es el caso de *Saturno devorando a sus hijos* o el *Duelo a garrotazos*, pero también el de algunas composiciones en las que reaparecen personajes presentes en los *Caprichos*, los *Disparates* o los *Desastres de la guerra*, como los *Fusilamientos del 3 de mayo*. La originalidad de la aproximación de Todorov radica, no en la búsqueda de interpretaciones novedosas para las obras convertidas en iconos, sino en la identificación de los presupuestos artísticos e ideológicos desde los que Goya aborda su ejecución. La posterior conversión de algunas de estas obras en iconos es resultado de la mirada de los sucesivos espectadores, de la recepción de la que fueron objeto y, en definitiva, de la proyección de concepciones exteriores a la pintura de Goya. La identificación de los presupuestos artísticos e ideológicos latentes requiere, por el contrario, elaborar hipótesis que, partiendo de las obras mismas y poniéndolas en relación con el entorno, den cuenta de la concepción artística de Goya o, retomando los términos de Américo Castro acerca de Cervantes, de su pensamiento. La hipótesis de Todorov es concluyente: la explícita asunción de las ideas ilustradas hace de Goya un humanista en el sentido que esta expresión fue adquiriendo a lo largo del siglo xx, distinto del que estableció el Renacimiento.

La ambigüedad de la leyenda que Goya coloca al pie de uno de sus *Caprichos* más conocidos, *El sueño de la razón produce monstruos*, pudo ser sobrevenida, aunque ejemplifica con precisión el tipo de aproximación que emprende en su ensayo Todorov. Tal vez el pintor no pretendía otra cosa que representar una alegoría en la que, ausente la razón que invocaban los ilustrados, y en la que él confiaba, las fuerzas del oscurantismo se apoderaban del mundo: ése era el conflicto inmediato al que se enfrentaba la España en la que vivió Goya. La evolución de los acontecimientos cargaría de sentido la otra interpretación que, aunque presente desde el principio en la leyenda que ilustra el *Capricho*, habría quedado latente y como en suspenso, hasta pasar desapercibida. Esta otra interpretación hace de Goya, por así decir, un precursor de las tesis que Adorno y Horkheimer expusieron en *Dialéctica de la Ilustración*. Es cierto, sostienen ahí Adorno y Horkheimer, que si la razón se duerme las fuerzas del oscurantismo se apoderan del mundo, según escribe Goya. Pero la descripción de las relaciones entre las fuerzas del oscurantismo y la razón no está completa si, además, no se advierte que la razón puede soñar fuerzas que hagan triunfar de nuevo al oscurantismo. Las guerras europeas de Napoleón, y entre ellas la de España, se inspiraban en los ideales universalistas que instauró la Revolución francesa, herederos de la Ilustración. Pero su ejecución no difirió, dentro y fuera de Francia, de la que llevaron a cabo los partidarios de los ideales opuestos. Goya, horrorizado ante la guerra, dio suficientes muestras en su pintura de haber comprendido que más que los ideales, más que los fines, importan los medios empleados para hacerlos triunfar.

Si Todorov advierte en la pintura de Goya el pensamiento que Ortega no alcanzó a vislumbrar es porque, a diferencia del autor de *La rebelión de las masas*, un libro de éxito en la universidad alemana a partir de 1933, no sólo presta atención al contenido de los ideales, a los fines que persigue una acción, sino también a la forma en la que se busca materializarlos, a los medios empleados. Ortega insiste con reiteración en la necesidad de que las sociedades confíen su gobierno a las minorías egregias, pero dice poco, o no dice nada, acerca de los procedimientos para colocar en el poder a esas minorías. La elección democrática es uno de ellos, y Ortega no la rechaza, acreditándose como liberal en un país que, como España, vivió siglo y medio de turbulencias políticas culminadas en una sangrienta guerra civil. Pero existen otros procedimientos, como las asonadas militares y los golpes palaciegos, que Ortega no tuvo inconveniente en apoyar en 1917 y 1923, convencido de que podrían propiciar el «brinco» que la sociedad española necesitaba para encumbrar a «los mejores». Luego, es verdad, llegarían los errores Berenguer y, ya durante la República, los «no es esto, no es esto». Pero estas y otras rectificaciones de Ortega no obedecían a cuestiones de principio, a una estricta convicción liberal acerca de la ilegitimidad de ciertos medios para acceder al poder, sino al hecho de que un régimen dictatorial, en el primer caso, y un régimen democrático, en el segundo, habrían fracasado, a su juicio, en la insoslayable tarea de entregar la dirección del país a la minoría egregia, elevada a la categoría de fin que lo justificaría todo. La constante indiferencia hacia los medios que se emplean para alcanzar los ideales provoca, en la mirada de Ortega, un ángulo muerto desde el que, en efecto, no puede percibir el pensamiento de Goya, ese humanismo que, según advierte Todorov, le lleva a equiparar las acciones del ejército francés y las de los resistentes españoles. Goya entiende que lo que la guerra de España reclama en primera instancia no es una opción entre las ideas ilustradas y las del oscurantismo, que él resuelve en favor de las primeras, sino una condena de los medios con los que están tratando de servirlas sus respectivos partidarios.

Al adoptar este punto de vista, Goya accede a una forma de contemplar la realidad que, en último extremo, explica el hecho de que numerosas de sus creaciones se hayan convertido en iconos, en imágenes cuya concreción local remite, no obstante, a una abstracción universal en la que espectadores a mucha distancia temporal y geográfica pueden proyectar sin dificultad su propia experiencia. Todorov cita a Zoran Music, superviviente de Dachau, quien aseguraba no encontrar mejor representación de cuanto vio en el campo de exterminio que los *Desastres* de Goya. Lejos de tratarse de una casualidad, existe una estrecha relación entre las pilas de cadáveres que pinta Goya y las que Music recuerda. En ambos episodios son eso, pilas de cadáveres, ante las que el horror que provocan hace pasar a segundo plano las diferencias circunstanciales, ya se trate de la nacionalidad de las víctimas, el tiempo en el que vivieron o la intención o la coartada desde las que les dieron muerte. Primo Levi recuerda con aterrorizado desaliento las palabras pronunciadas por un SS en Auschwitz, reproducidas por Todorov en su ensayo sobre Goya: «Aquí no hay porqués». Esas mismas palabras serán las que escoja el pintor como leyenda de algunos de los *Desastres*. Lo que Zoran Music percibe ante las pilas de cadáveres que representa Goya es que, precisamente porque no existe un porqué, precisamente porque las diferencias circunstanciales de las que contempló en Dachau pasan a segundo plano, la brutalidad de los medios empleados para alcanzar un fin se aprecia con inequívoca nitidez, con lo que la abstracción universal que contienen las imágenes recordadas y las representadas dominan sobre su concreción local, fundiendo unas en otras hasta hacerlas intercambiables. El fenómeno que expresa Zoran Music se repite con los ajusticiados por la Inquisición que pinta Goya y los encapuchados en la prisión de Abú Graíb, con la lucha cuerpo a cuerpo entre los ejércitos ocupantes y los ciudadanos que los desafían en cualquier parte del mundo, idéntica a la que Goya representa en sus escenas sobre el 2 de mayo. Es la forma de contemplar la realidad, tras la que se identifican unas ideas, un pensamiento, lo que convierte a Goya en un pintor intemporal que, clamando contra la violencia de la que fue testigo, parece clamar, al mismo tiempo, contra la violencia que vino después y contra la que, por desgracia, seguirá viniendo en el futuro.

Con *Goya. A la sombra de las Luces*, Todorov avanza una hipótesis sobre el pensamiento de Goya que desmiente la imagen de artista extravagante y rudo, dotado para la pintura pero ignorante de las ideas artísticas, culturales y políticas que agitaron su tiempo. Valiéndose de su arte lo mismo que sus amigos escritores hicieron con el suyo, Goya habría realizado una contribución decisiva al pensamiento contemporáneo, poniendo de manifiesto el lado oscuro de la Ilustración que más tarde destacarían Adorno y Horkheimer, y, a continuación, tomando un inequívoco partido por la otra vertiente, por el lado humanista. Más allá de la polémica que esta hipótesis pudiera suscitar entre los estudiosos de la obra de Goya, la lectura del ensayo de Todorov vuelve a suscitar la pregunta cada vez más acuciante de si la genealogía del liberalismo ha sido correctamente establecida por la vigente historia de las ideas en España. El mismo ángulo muerto que impidió a Ortega advertir el pensamiento de Goya, impidió a los autores de la Generación del 98 advertir el de Cervantes, y otro tanto se podría decir de todos y cada uno de los grandes artistas españoles cuya visión, cuyo pensamiento humanista, está en contradicción con las esencias del pasado fijadas por una corriente nacionalista más extendida de lo que se suele admitir. Desde esta perspectiva, *Goya. A la sombra de las Luces* no sólo invita a reconsiderar la pintura de Goya, sino también, y sobre todo, la vigente historia de las ideas en España. Exactamente como hizo Américo Castro en 1925 al desvelar que detrás de la obra de Cervantes había un pensamiento perseguido, no una misteriosa inspiración colectiva guiando la pluma de un ingenio lego.

José María Ridao

Fig. 1. *Pobre y desnuda va la filosofía.*

Goya, pensador

Goya no es sólo uno de los pintores más importantes de su tiempo. Es también uno de los pensadores más profundos, al mismo nivel que su contemporáneo Goethe, por ejemplo, o que Dostoyevski, cincuenta años después. Para sus primeros biógrafos, a mediados del siglo XIX, era evidente, aun cuando su interpretación del pensamiento de Goya fuera superficial. «Mezclaba ideas con sus colores», escribió Laurent Matheron en 1858.* Charles Yriarte incide en el mismo sentido en 1867: «Debajo del pintor está el gran pensador que dejó huellas profundas [...] El dibujo se convierte en idioma con el que formular el pensamiento». En cuanto a sus grabados, dice que poseen «el alcance de la más elevada filosofía».[1] Sin embargo, en el siglo siguiente, a la vez que se consolidaba la gloria de Goya como pintor, se adquirió la costumbre de contemplar con cierta condescendencia la aportación filosófica de este autodidacta, cuya mentalidad Ortega y Gasset describía como bastante similar a la de un obrero, y de cuyas cartas decía que eran propias de un ebanista.[2]

Goya dejó un dibujo con la leyenda *Pobre y desnuda va la filosofía* (GW 1398, fig. 1), que toma de un poema de Petrarca. En el dibujo vemos a una mujer joven, seguramente una campesina, cuya ropa indica su modesta condición. Es cierto que no va desnuda, pero sí descalza. Sujeta un libro abierto en la mano derecha, y otro, cerrado, en la izquierda. Su rostro es juvenil, algo ingenuo, y alza los ojos interrogantes al cielo. ¿Podría pues encarnarse la filosofía en personas sencillas, en gente descalza que nada sabe de estudios universitarios?

Goya rompe con aspectos decisivos de la tradición y anuncia el advenimiento del arte moderno. Por supuesto es ésta una valoración

---

* Las referencias de las citas se encuentran en las Notas y la Bibliografía, al final de este volumen. Identificamos las obras de Goya por su numeración en el catálogo de Gassier y Wilson (abreviado como GW).

retrospectiva, por no decir anacrónica. Goya no ejerció influencia inmediata en el curso de la pintura en España, y todavía menos en pintores de otros países europeos. Fuera de España sólo empieza a ser conocido a partir de mediados del siglo XIX, décadas después de su muerte. No fue el estruendoso jefe de filas de un movimiento internacional de vanguardia, como Marinetti para el futurismo y Breton para el surrealismo. Somos nosotros, los que vivimos en el siglo XXI, los que constatamos, cuando echamos un vistazo a la evolución de las artes plásticas en Europa en los últimos doscientos años, que durante ese periodo de la historia se produjo un cambio radical, y que Goya es el artista –no el único, es cierto, pero sí más que cualquier otro– que anticipó los nuevos caminos que se abrían a su arte y dio los primeros pasos en esa dirección.

Pero los cambios de esta envergadura no son, ni podrían ser, meramente formales. Esos cambios radicales no pueden tener su origen sólo en la imaginación de determinados individuos, por más que posean una sensibilidad artística excepcional. Aunque no son consecuencia directa de las profundas transformaciones que sufrió en aquella época la vida social, tienen que ver con ellas. La revolución pictórica que se pone de manifiesto en la obra de Goya forma parte de un movimiento que incluye la importante consolidación de la mentalidad ilustrada, la progresiva secularización de los países europeos, la Revolución francesa y la creciente popularidad de los valores democráticos y liberales. Esta convergencia nada tiene de fortuito. La pintura nunca ha sido un simple juego, un puro divertimento, un elemento decorativo arbitrario. La imagen es pensamiento, tanto como el que se expresa mediante palabras. Siempre es reflexión sobre el mundo y los hombres. Tanto si es consciente de ello como si no, un gran artista es un pensador de primera magnitud.

Pero ¿de qué pensamiento se trata? Debemos diferenciar aquí entre varias posiciones dentro de un amplio espacio común. En un extremo están las reflexiones formuladas en términos abstractos por un teórico que analiza un aspecto de la existencia humana: las pasiones o las acciones, el individuo o la sociedad, la moral o la política. Sin duda Goya jamás recurrió a este tipo de discursos. En el otro extremo nos encontramos con lo que muestra la imagen, pero que la expresión verbal no puede atrapar, esas sensaciones al margen de las palabras que entran en contacto con nuestras primeras pulsiones: seguir vivo, comer y asimilar la comida, respirar y temer por la propia supervivencia... lo que Yves

Bonnefoy llama en un ensayo sobre Goya el «pensamiento figural». Quizá haya poetas que pueden crear un equivalente lingüístico de esta aprehensión elemental del mundo que algunas veces se materializa en la pintura, pero personalmente me siento incapaz de competir con Goya a este respecto. Para conocer esta vertiente de su pensamiento, en lugar de leer comentarios de los críticos, lo mejor es contemplar las imágenes del pintor, o en su defecto reproducciones.

No obstante, entre los dos extremos –el discurso teórico y la sensación preverbal de la vida– encontramos un vasto territorio que comunica con ambos sin reducirse a ninguno de ellos. Se trata de un lugar intermedio que engloba los discursos y las imágenes, pero también el medio histórico y social en el que se escriben los textos, se pintan los cuadros y se dibujan las figuras. Este lugar intermedio nos permite decir, por citar sólo un ejemplo, que la pintura europea del siglo XV aporta un nuevo pensamiento, el descubrimiento y la valorización del individuo humano, que en aquella época pasan por alto la literatura y la filosofía, que los descubrirán y celebrarán cien o doscientos años después. Por lo tanto, podemos abordar este pensamiento tanto a través de las palabras como a través de las imágenes, pero también –o quizá habría debido decir sobre todo– a través de esa concatenación de actos queridos o sufridos que forman eso que llamamos una biografía. Ese espacio intermedio entre diferentes percepciones e interpretaciones del mundo, y por lo tanto de pensamiento no teorizado, constituye el marco del presente estudio. Es preciso decir que la vida y la obra de Goya se insertan en él sin oponer la menor resistencia.

Si adoptamos esta perspectiva, no tardaremos en darnos cuenta de que Goya no sólo estuvo influenciado por el espíritu de la Ilustración, sino que él mismo es una de las principales figuras intelectuales de aquel tiempo, que se impregnó de ese pensamiento y a la vez supo trascenderlo. Pero el interés del pensamiento de la Ilustración no es sólo académico, ya que supuso la base sobre la que se construyeron gran cantidad de sociedades contemporáneas, en concreto la nuestra. Conocer mejor este pensamiento puede tener consecuencias directas para nuestras preguntas sobre nosotros mismos, sobre nuestros valores y sobre el mundo en el que queremos vivir. Así, mi interés por Goya no sólo tiene que ver con la historia del arte y de la cultura, sino que forma parte de la necesidad de entender mejor mi tiempo y a mis contemporáneos. La obra de Goya encierra en sí una lección de sabiduría de la que en la actualidad tenemos mucho que aprender.

El pensamiento de Goya se expresa ante todo mediante sus imágenes, sus pinturas, sus grabados y sus dibujos, casi dos mil obras. Tenemos además la suerte de disponer de otra forma de expresión a la que recurría, ya no visual, sino verbal. Quizá debido a su dificultad para comunicarse oralmente, a consecuencia de la sordera que lo aquejó en 1792, dejó testimonios escritos de su reflexión. De entrada, es autor de dos obras como tales, las series de grabados de los *Caprichos* (1798) y de los *Desastres de la guerra* (hacia 1820), la primera publicada en vida y la segunda después de su muerte, pero ambas elaboradas con sumo cuidado. El orden en el que se presentan tanto las imágenes como las leyendas que las acompañan permite ver la expresión directa –y enormemente valiosa– del pensamiento de Goya. Además el pintor tituló o colocó leyendas en gran cantidad de dibujos y otros grabados, lo que permite orientar su interpretación. Aunque no es un autor que trata directamente cuestiones filosóficas, políticas o artísticas, ha dejado cierta cantidad de textos: cartas personales, un informe dirigido a la Academia de Pintura, una noticia que anuncia la publicación de los *Caprichos*, solicitudes y misivas oficiales, y discursos que transcribieron sus contemporáneos. Comparado con otros pintores del pasado, como Rembrandt y Watteau, de los que sólo nos han llegado algunas cartas de dudosa autenticidad y en cualquier caso poco reveladoras, Goya es un hombre que se expresó bastante en su lengua, el español, no sólo en el idioma universal de las imágenes. Por último, disponemos de gran cantidad de información sobre los grandes acontecimientos decisivos en su vida, una vida también llena de sentido.

Esto no quiere decir que mi propósito sea contar la vida de Goya con todo detalle, ni analizar toda su producción pictórica. Dejaré de lado gran parte de su obra: los retratos, la pintura religiosa, las naturalezas muertas y las tauromaquias. El objeto de mi análisis será el pensamiento de Goya, que se despliega tanto mediante imágenes como en sus escritos y en otras actividades de su vida, respecto de dos cuestiones principales: el sentido de su revolución pictórica y el cambio radical que aporta al pensamiento de la Ilustración. Para interpretar su pensamiento me veo en la necesidad de contar algunos aspectos muy conocidos de su biografía y de su carrera, y por lo tanto he recurrido a trabajos de otros historiadores y críticos. Como no me dirijo exclusivamente a especialistas en la obra de Goya, he querido presentar (o recordar) a mis lectores una información de conjunto que les ayudará a entender las sorprendentes innovaciones de este pintor excepcional.

La llegada al mundo

Goya, que nace en 1746 en el seno de una familia humilde de Zaragoza, se orienta muy pronto hacia la pintura y aprende en esta misma ciudad los primeros rudimentos del oficio. Pero para triunfar en este ámbito es preciso trasladarse a Madrid, donde pueden conseguirse encargos bien pagados. Se presenta a varios concursos, primero en 1763 y después en 1766, pero no tiene éxito. Decide entonces tomar otro camino. Para empezar, debe perfeccionar la formación como pintor que ha empezado en Zaragoza para adquirir algo más de prestigio. Se traslada pues, a sus expensas, a Italia, lo que no debió de ser empresa fácil. Este viaje, poco conocido por falta de documentos, tuvo lugar probablemente entre 1769 y 1771. Goya se instala sobre todo en Roma, donde aprende a manejar mejor su oficio y que a la vez le proporciona cierto prestigio.

La segunda medida que adopta para asegurarse el éxito es de naturaleza muy diferente: de vuelta en España se casa, en 1773, con Josefa Bayeu, hermana de un pintor muy cotizado en aquel momento, Francisco Bayeu. Ningún testimonio permite ver en esta unión una historia de amor, y no hay pruebas de que Goya pintara un retrato de su mujer, cuyos rasgos conocemos sólo por un pequeño dibujo (GW 840). En sus cartas sólo habla de ella de pasada, sobre todo a propósito de sus numerosos partos (sólo uno de sus hijos vivirá). Su deseo de marcharse cuanto antes de su casa parece responder exclusivamente a su impaciencia cada vez que su mujer se pone de parto. Sin embargo, a su mujer no debía de faltarle la inteligencia, porque Goya cita en una carta una ocurrencia suya: «Es la sepultura de las mujeres la casa» (a Martín Zapater, 9 de agosto de 1780).[3] Pero este matrimonio le abre muchas puertas, ya que pasa a ser miembro del clan Bayeu, y a partir de 1774 incluso vive en casa de su cuñado, en Madrid. Y Francisco es el favorito de Anton Raphael Mengs, el artista por entonces considerado el más grande pintor de España. Los primeros cuadros y frescos de

Goya son de tema religioso, ya que se trata de encargos vinculados con la Iglesia. Les falta originalidad, pero está ya claro que al joven pintor no le atrae el estilo neoclásico entonces de moda, el de Mengs y Bayeu precisamente.

Formar parte del clan Bayeu le proporciona rápidamente sus primeros encargos vinculados a palacio. Se trata de «cartones» (es decir, patrones) para los tapices reales destinados a la residencia del príncipe heredero, el futuro Carlos IV, y su esposa, María Luisa. Los temas de esos cartones los eligen quienes hacen los encargos, es decir, la pareja de príncipes y sus consejeros. Y en esa época se extiende en España, en especial en los círculos aristocráticos y próximos a la corte, la moda de los trabajos y las festividades populares, los divertimentos o simplemente la manera de vestirse de los jóvenes de condición humilde, los majos y las majas, en definitiva, el equivalente español de las fiestas galantes que Watteau introdujo en la pintura europea a principios del siglo XVIII. Goya, que creció en un ambiente popular, no tarda en dominar el estilo de esos cuadros y se convierte en el mejor del grupo de pintores que los realizan. Pintará sesenta y tres cartones (de los que se han conservado unos cincuenta) en tres periodos: 1775-1780, 1786-1788 (interrumpido por la muerte del rey Carlos III) y 1791-1792 (interrumpido por la enfermedad de Goya). Su éxito seguramente le garantizó cierta libertad en la elección de los temas.

El primer ciclo aborda fiestas, escenas de la vida cotidiana y escenas de caza. El segundo contiene además algunas imágenes de temas más serios, como una serie dedicada al tradicional tema de las cuatro estaciones, que trata con mucha atención a los detalles fruto de la observación. Es el caso de *El invierno* (GW 265): una familia campesina avanza con dificultad por la nieve con un perro, un burro y un cerdo, este último ya muerto y a lomos del burro. La escena tiene tanta presencia, que el cuadro no remite a un ciclo cósmico, como habría querido la tradición. Sentimos el cansancio de la familia, el viento helado y el terrible frío, pese a los rayos del sol. Otras imágenes evocan la vida de personas sencillas al margen de todo entorno idílico o alegórico, como *Los pobres en la fuente* (GW 267). Un cartón como *El albañil herido* (GW 266, **il. 1**) sorprende incluso en este contexto. La escena, que tiene lugar en el paisaje urbano de una obra, entre andamios, nada tiene de alegre ni de aleccionadora. Goya había realizado antes una versión ligera, incluso humorística, de la misma escena, *El albañil borracho* (GW 260). La composición de ambas versiones es idéntica, sólo cambia la expresión de los rostros. El primer incidente se presta más a la risa que a la compasión, pero *El albañil herido* es más serio, por lo que no podemos evitar preguntarnos qué pintaba en las paredes de un palacio real. Observamos además las libertades que se toma Goya en la manera de tratar el fondo que aparece detrás de los personajes. Los rodea de grandes masas de color, que parecen justificadas exclusivamente por las necesidades internas del cuadro.

El encargo del tercer ciclo alude a temas «rústicos y cómicos», y en él Goya muestra juegos de niños, como *Los pequeños gigantes* (GW 304), y de adultos, como *El pelele* (GW 301), cuadro de resonancias más dramáticas en el que varias chicas lanzan por los aires un muñeco. En la época de los primeros cartones, en 1777-1778, Goya estudia la obra de Velázquez, del que hace copias y grabados, y al que elige como modelo de excepción. Esta elección influye en su manera de pintar, que sabe que se opone al canon de su época: «Lo que se estila aquí aora es estilo arquitectónico», escribe a su amigo Zapater (6 de junio de 1787). Por eso algunas veces se critican sus cuadros, que, según dicen, son «pinturas inacabadas».

Los primeros encargos reales favorecen enormemente su carrera. Su primer contacto con el rey Carlos III data de 1779, cuando postula al puesto –ventajoso, porque está bien remunerado– de pintor del rey. En 1786 consigue un primer cargo (pintor del rey), en 1789 un ascenso (pintor de cámara del rey), y en 1799 el triunfo definitivo (primer pintor de cámara del rey), cada uno de ellos con su correspondiente aumento de sueldo. Al mismo tiempo, en 1780, pasa a ser miembro de la Academia de San Fernando, subdirector en 1785 y director en 1795. Pinta también retratos de miembros de la familia real, como del hermano del rey, Luis de Borbón, del hijo del rey, el futuro Carlos IV, y de su esposa.

El conde de Floridablanca (GW 203, **il. 2**), que pinta en 1783, ilustra involuntariamente los peligros de su situación, ya que da muestras de sus excesivos esfuerzos por halagar al primer secretario de Estado de la época (equivalente al actual presidente del Gobierno). Goya se representa a sí mismo en el cuadro en el papel de un cortesano tan servil, que hace pensar en las miniaturas medievales, en las que veíamos al humilde pintor doblando las rodillas mientras ofrece su obra al que se la había encargado. Es cierto que a Goya le entusiasma la perspectiva de pintar a este gran hombre, el primer personaje realmente importante que le encarga un retrato. «Y es que le he de acer su retrato, cosa que me puede baler mucho. A este señor le debo tanto...», escribe a Zapater (22 de enero de 1783).

¿Por esta razón el retrato nos produce cierta impresión de torpeza? Floridablanca tiene un monóculo en la mano, prueba de que acaba de observar el cuadro que le tiende el artista. Está acompañado por un arquitecto, o un ingeniero, que le muestra los planos de construcción de un canal, como vemos en las láminas situadas junto al conde. A sus pies vemos un libro de pintura, y por encima vela el retrato del rey Carlos III. Goya quiere mostrarnos que el ministro está versado en todas las materias, lo que no le impide ser un servidor devoto. Y él mismo se representa como servidor del servidor, todavía más sumiso. Estamos ante una auténtica celebración de la autoridad. El pintor quiere dar a entender tantas cosas que el cuadro se vuelve incomprensible. El ministro muestra una pose rígida, y el pintor –pese a que supuestamente está más cerca de nosotros– es extrañamente pequeño. Su humildad es excesiva. Por lo demás, en la vida real Floridablanca no da muestras del menor entusiasmo ante este retrato demasiado diligente: «Amigo, nada ay de nuebo y aún ay más silencio en mis asuntos con el señor Muñino que antes de averle echo el retrato», se lamenta Goya en una carta a Zapater (7 de enero de 1784).

Otro cuadro que ilustra el conformismo social de Goya es el que envía a la Academia para que lo admitan, un Cristo crucificado que se ajusta totalmente al gusto imperante (GW 176) y que da muestras de gran habilidad, pero no de inspiración original. Cabe decir que ha calculado bien lo que hacía, ya que los académicos le dan su aprobación. Poco a poco llega a ser también uno de los retratistas más valorados por la alta sociedad madrileña, y sigue así el ascenso de un joven con talento, ambicioso y oportunista, obsesionado por el éxito, decidido a triunfar, y por lo tanto a ganar más dinero y gozar de más honores, sean cuales sean los medios. Y lo consigue.

Para conocer este periodo de la vida de Goya disponemos de un documento muy valioso, las cartas que escribe a su mejor amigo de la infancia, Martín Zapater, que vive en Zaragoza. La imagen que ofrecen esas cartas es muy diferente de la que podemos deducir de los documentos oficiales y de las obras del pintor. No es necesariamente más verdadera que las demás, pero ofrece algo más de luz. En este intercambio epistolar entre amigos pocas veces se habla de pintura. Al principio Goya nos parece un hombre de gustos sencillos y populares. Sus principales placeres son la buena comida, en especial el chocolate

(«Le pide un envío de chocolate» [1780]), las corridas de toros y sobre todo la caza: «Y él cazando y chocolateando y embraserao» (20 de octubre de 1781), «Para mí no ay mayor dibersión en todo el mundo» (6 de octubre de 1781).

En estas cartas encontramos también varias alusiones a prostitutas, pero el cariño que Goya siente por su amigo parece mayor, y con mucho, que el interés que concede a las mujeres: «Y aquellos raticos de nuestras conbersaciones, que me chupo los dedos de pensarlo solo» (24 de mayo de 1780), «Una bez que tu y yo somos uno nos callaremos lo que aya que callar» (6 de octubre de 1781). La fusión de los dos amigos queda ilustrada en la firma que Goya estampa al final de esta última carta: «Martín y Paco», como si lo que acaba de escribir fuera tanto del autor como del destinatario. En ocasiones incluso desaparece la frontera entre la amistad y el amor: «Me arrebataría a irme contigo. Porque es tanto lo que me gustas y tan de mi genio que no es posible el encontrar otro; y cree que mi vida sería el que pudiesemos estar juntos [...] Y en realidad no ay otra cosa que apetecer en este mundo» [20 de octubre de 1781], «Estoy enamorado de el Zanganaz más que si lo mereciera» (misma fecha), «Se me aumentan más las ganas de berte y de bibir contigo» [13 de noviembre de 1781], «Te prefiero a los placeres y disfrutes del nido matrimonial» [diciembre de 1790]. Este tipo de declaraciones se suceden como mínimo hasta 1793.

A partir del momento en que entra en la corte, Goya está muy orgulloso de contar a su amigo las muchas gratificaciones que recibe. Cuando tiene ocasión de presentar por primera vez sus cuadros a la familia real, se altera muchísimo: «Y les besé la mano que aun no había tenido tanta dicha jamás; y te digo que no podia desear mas [...] con toda la grandeza, gracias á Dios, que yo no merecia ni mis obras lo que logré» (9 de enero de 1779). Le fascina especialmente conocer al hermano del rey: «He hestado un mes continuamente con estos señores y son unos ángeles» (20 de septiembre de 1783). También aprecia las atenciones que le dedica, unos años después, el favorito de los reyes, Manuel Godoy. En pocas palabras: «Los Reyes están locos con tu amigo» (31 de octubre de 1799). Parte de esta alegría responde al hecho de que los honores van acompañados de sueldos y recompensas, de los que Goya da cuenta rigurosamente a su amigo (las consideraciones económicas ocupan buena parte de la correspondencia): «Martin mio: Ya soy Pintor del Rey con quince mil reales» (7 de julio de 1786). Suele pedir consejo a Zapater: «Díme tu que tienes talento y tanto tino en las cosas, en donde estarán mejor cien mil reales, en el Banco o en bales reales o en los gremios» (23 de mayo de 1789). Goya, que se integra perfectamente en su nuevo entorno, adopta de él ciertas maneras, como añadir un «de» a su nombre, y firma las cartas a su amigo como «Tuyo, Francisco de Goya».

Pero se encuentra con que esa élite española a la que se ha incorporado es partidaria de las grandes ideas de la Ilustración, que proceden de toda Europa y entran en el país desde la vecina del norte, Francia. El contagio se extiende de forma lenta pero segura a lo largo del siglo XVIII. Vemos un primer indicio importante en los ensayos de Feijóo, monje benedictino y profesor de la Universidad de Oviedo, que se reunieron en una serie de volúmenes bajo el título conjunto de *Teatro crítico universal* (publicados a partir de 1726). Feijóo critica el retraso intelectual que observa en su país y ofrece al público un resumen del pensamiento racionalista. Sus héroes son Descartes, Newton y sobre todo Francis Bacon, y su ideal es el conocimiento científico, liberado de tutelas religiosas. Esta sacudida de la autoridad tradicional en favor de la crítica libre tiene un enorme éxito popular. Se multiplican progresivamente las exposiciones sobre ciencias empíricas destinadas al gran público, así como las traducciones y adaptaciones de escritos de Montesquieu, Jean-Jacques Rousseau, Adam Smith, Condillac, Beccaria y Filangieri.

El pensamiento de la Ilustración, que se expande con éxito por el continente europeo, no es el de determinado filósofo o erudito, sino una síntesis anónima producto de varios divulgadores de talento. Su punto de partida es criticar la autoridad que detenta la tradición en todas sus formas. Para legitimar una afirmación ya no basta con apelar a su antigüedad o a su conformidad con un texto que se considera sagrado, como la Biblia. Ahora se opta por el derecho a la libre búsqueda de la verdad mediante observaciones imparciales del mundo y razonamientos lógicos. Así pues, los partidarios de la Ilustración denuncian los prejuicios, las supersticiones y la ignorancia, y reivindican la razón y la ciencia. Todos los ámbitos de la vida pública –la administración, la economía y la justicia– deben gestionarse en función de principios racionales. Al mismo tiempo, estos partidarios de la Ilustración piden que la actuación de la Iglesia se limite exclusivamente a la esfera espiritual y que no interfiera en el poder temporal. Se permiten criticar también al clero, cuyos representantes no siempre están a la altura de lo que suelen exigir a los demás fieles. A nivel más general defienden las ideas de libertad individual y de que todo el mundo es igualmente digno, y buscan un fundamento exclusivamente humano a todos los valores.

Los monarcas españoles adoptan el modelo del despotismo ilustrado. Carlos III (1759-1788) y Carlos IV (1789-1808) son conscientes de la necesidad de modernizar el país en cuestiones económicas y administrativas, pero también jurídicas y culturales. Quieren incentivar la organización racional del Estado y favorecer las prácticas y el pensamiento científicos. Desean también proteger a la población de la despiadada explotación a la que la someten los caciques locales y solucionar el estado de miseria en el que está sumida (la esperanza de vida de los pobres en la España de la época se sitúa entre los veintisiete y los treinta y dos años). Además, aunque jamás ponen en duda la religión católica (Carlos III es especialmente piadoso), pretenden modificar el equilibrio entre poder espiritual y poder temporal, y por lo tanto liberarse de la tutela del papa y someter la Iglesia al Estado. Se trata de un movimiento que procede de la realeza, paralelo al galicanismo francés, y por esta razón en 1767 se expulsa a los jesuitas, que están vinculados al papa. La Inquisición, también próxima al papa, quedará debilitada, aunque no se desmantelará, sino que seguirá actuando.

Se confían los asuntos de Estado a un grupo de aristócratas e intelectuales abiertos a las ideas de la Ilustración, los ilustrados. Es en parte el caso del secretario de Estado Floridablanca, que ejerce el poder desde 1777, pero sobre todo del círculo que lo rodea, administradores, economistas, historiadores y literatos, entre los que debemos citar a Jovellanos, Cabarrús y Meléndez Valdés, de la misma generación que Goya. Pueden parecer tímidos comparados con los enciclopedistas franceses, pero logran que en toda España circulen nuevos aires. A su alrededor, de manera todavía más difusa, gravita un grupo más amplio de individuos ilustrados, libres de los prejuicios generales y en ocasiones de espíritu libertino. Sin embargo, estos personajes en su conjunto, que numéricamente sólo corresponde a una pequeña minoría, asumen una actitud crítica frente al pueblo e intentan despertarlo para que se acerque a su ideal. Quieren apartarlo de la influencia de los curas retrógrados que lo guían, que son los responsables de su ignorancia, de su ordinariez y de sus supersticiones.

Asistimos pues a un conflicto latente, que adquirirá amplitud en los años siguientes, entre la élite ilustrada, que pretende incentivar la razón y las ideas liberales, y los representantes de una corriente opuesta, que la política real descarta y que podríamos llamar «oscurantismo». Estos últimos defienden la supremacía del papa, el papel activo de la Inquisición, las propiedades de la Iglesia y de las órdenes monásticas, y los intereses de los grandes terratenientes. En el plano ideológico, podríamos decir que la separación de los poderes teológico y político de los ilustrados se opone a la defensa oscurantista de su unidad, y el reformismo al conservadurismo. Lo que está en juego en el conflicto es el pueblo, que ambos movimientos intentan poner de su parte. Es cierto que el proyecto del despotismo ilustrado está minado por una contradicción interna: sus defensores quieren que los habitantes del país se comporten como individuos libres y racionales, y que se los considere igualmente dignos que ellos mismos, pero a la vez se reservan el derecho de conceder a los demás esa libertad y esos derechos cuando les parece bien. Desean que la población tenga autonomía, y para ello la someten. La igualdad es su ideal, pero no aceptan renunciar a ninguno de sus privilegios. Les gustaría emanciparse de la tutela de la Iglesia, pero no están dispuestos a defender la libertad de conciencia. Atrapados entre exigencias contradictorias, se ven abocados a llegar a compromisos difíciles.

En las esferas dirigentes del país se perpetuará la bondad de la Ilustración, es cierto que a distintos niveles, con idas y venidas, hasta la invasión napoleónica de 1808, y así sucede a pesar del horror que provocan los acontecimientos que tienen lugar en la vecina Francia: la revolución de 1789, el asesinato del rey y el Terror. En uno de esos retrocesos, en 1790, varios ilustrados sufren castigos: Cabarrús es encarcelado, y Jovellanos y Ceán Bermúdez son desterrados de la capital. En los primeros años del siglo XIX se producirá otro retroceso de las ideas liberales.

Goya forma parte del pueblo por sus orígenes, pero gracias a las relaciones que le impone su estatus de pintor mundano forma parte de la élite ilustrada. Al convertirse en cortesano y en académico, sufre la influencia de las personas de su entorno, figuras políticas y culturales favorables a las ideas de la Ilustración. A las ya mencionadas se añaden otras, como Moratín e Iriarte. Conoce también a ricos coleccionistas de ideas liberales, como los duques de Osuna, con los que trabará amistad. El hecho de formar parte de un nuevo entorno transformará sus gustos y sus costumbres. «Me parece que he nacido en otro mundo», escribe a Zapater (29 de agosto de 1781). Sin embargo, no está del todo satisfecho, como muestra otra carta: «No voy ya a los sitios donde podría oirlas [las seguidillas], porque se me ha puesto en la cabeza que debo mantener una determinada idea y guardar una cierta dignidad que el hombre debe poseer, con lo cual, como puedes creerme, no estoy muy contento» [1792]. Es evidente que bajo la influencia de la corte y de los ilustrados debe renunciar a los placeres sencillos que tanto le gustaban.

La jerarquía de los valores de Goya en esta época cuenta con varios niveles. Los honores que recibe, las muestras de reconocimiento y las gratificaciones pecuniarias son bienvenidos, pero le gusta pensar que las alegrías sencillas de la vida material y de la amistad son superiores: «Que quiero acer mi gusto; y baya a la mierda el que ace caso de las cosas y fortunas de corte y mundo, pues beo claramente que ambiciosos no biben ni conozen donde biben» (20 de octubre de 1781). Su posición es la siguiente: «Para cuatro dias que hemos de bibir en el mundo es menester bibir a gusto» (25 de abril de 1787), «Yo no quiero mas jamás que el dar gusto a mis amigos» [1787]. Sin embargo, no le queda más remedio que admitir que, pese a estas afirmaciones, sigue llevando una vida de cortesano, por más que no le satisfaga del todo: «Tengo tanto que acer que no tengo lugar para nada; pues mas quisiera ser hinfeliz y estar junto a tí y lograr aquella satisfacción que hemos tenido, que no estar aplaudido y con satisfacciones con el Rey y los Príncipes y lleno de cuidados» (16 de diciembre de 1786).

En realidad, junto a estos dos rivales, el reconocimiento público y las alegrías de la amistad, se ha instalado una nueva ocupación cuya importancia no deja de aumentar con el paso de los años: la pintura. Aunque hable de ella como una obligación, en adelante ocupa la cima de su panteón: «Trabajo con mucha prisa en los cuadros, de los que, según creo, te he hablado en alguna carta anterior» (23 de junio de 1787), «Ni duermo ni sosiego hasta salir del asumpto, y no le llames vivir a esta vida que yo hago» (31 de mayo de 1788). Pero es la vida que Goya decide vivir, incluso aunque el gran rey, en esos momentos amigo suyo, le dice que no debería trabajar tanto. Su vocación de pintor lo mantiene en pie, sobre todo desde que sabe que es «el mejor que ay aqui» (13 de junio de 1787).

Aunque ahora forma parte del entorno de los ilustrados, Goya no pretende ilustrar sus nuevas ideas en su pintura. Trata los temas que le encargan con frescura y originalidad, pero los temas en sí siguen siendo básicamente convencionales y se ajustan al gusto pasajero de las élites aristocráticas, no a la adhesión a los valores liberales. Ha alcanzado su objetivo, el éxito social, y aunque es mejor que sus colegas, nada parece indicar todavía que en los años siguientes revolucionará la pintura europea y a la vez el pensamiento de la Ilustración. Y para que algo así suceda deberá sufrir una conmoción para la que en absoluto estaba preparado.

Una teoría del arte

Estas amistades y compromisos incitan a Goya a perfeccionar su educación intelectual, de modo que aprende francés (que olvidará totalmente más adelante). También lee y reflexiona sobre su oficio, como muestra el informe que dirige a la Academia en octubre de 1792 en respuesta a una encuesta sobre los métodos de enseñanza de las artes visuales. Mientras que sus colegas ofrecen respuestas bastante técnicas y se limitan a hacer indicaciones prácticas sobre las salas en las que se estudia, la luz que les va mejor, los pintores a los que hay que imitar o cómo organizar los talleres, Goya escribe y lee ante sus colegas todo un manifiesto. Afirma que esta enseñanza debe ser lo menos exigente posible, que es preciso olvidar las reglas e imitar la naturaleza, en lugar de a los maestros antiguos. «Daré una prueva para demostrar con hechos, que no hay reglas en la Pintura, y que la opresión, ú obligación servil de hacer estudiar ò seguir á todos por un mismo camino, es un grande impedimento à los Jóvenes que profesan este arte tan difícil, que toca más en lo Divino que ningun otro, por significar quanto Dios ha criado.» Expone de entrada la gran cantidad de caminos que permiten acercarse al objetivo, así como la necesidad de conceder a todo individuo el derecho a elegir el suyo.

Para ello es necesario estudiar, pero el estudio depende del conocimiento del mundo, no de los modelos antiguos: «¡Qué escándalo no causará, el oir despreciar la naturaleza en comparación de las Estatuas Griegas!». Justifica esta opción argumentando que de esta forma el pintor observa las obras de Dios, creador como él, en lugar de imitar las de un intermediario: «¿Por mas excelente Profesor que sea el que la haya copiado, dejará de decir à gritos puesta à su lado, que la una es obra de Dios, y la otra de nuestras miserables manos?». Goya formula así indirectamente una defensa de su manera de pintar: «El que más se haya acercado, podrá dar pocas reglas de las profundas funciones del entendimiento que para esto se necesitan, ni decir en qué consiste haber sido mas feliz tal vez en la obra de menos cuidado, que en la de mayor esmero». Así defiende el carácter «inacabado» de sus pinturas, que le reprochan algunos expertos. Los resultados de esta enseñanza liberal son imprevisibles, por lo que debe hacerse como Annibale Carracci con sus discípulos, «dejando à cada uno correr por donde su espíritu le inclinaba, sin precisar à ninguno á seguir su estilo, ni método». Goya defiende pues la libertad de los alumnos, aunque el objetivo de la pintura sigue siendo mostrar las criaturas divinas, «conseguir la imitación de la verdad» o de la naturaleza.

A diferencia de lo que suele hacerse, para aprender a dominar la perspectiva, las artes «no deben ser arrastradas del poder, ni de la sabiduría de las otras ciencias», como la geometría. Deben ser juzgadas por sus propios méritos, y las habilidades que exigen también son propias. Para adquirirlas bastará con «dar mucha estimación al Profesor que lo sea; y el de dejar en su plena libertad correr el genio de los Discipulos que quieren aprenderlas, sin oprimirlo, ni poner medios para torcer la inclinación que manifiestan». Y el informe concluye con una nota seria: «He tenido ocupada toda mi vida deseando conseguir el fruto de lo que estoy tratando».

Quedémonos con tres ideas importantes que aparecen en este texto. De entrada Goya rechaza el dogma de la imitación-copia, que se tambaleaba desde hacía algún tiempo, y se une a los artistas que, en lugar de buscar el parecido exacto entre sus obras y las criaturas naturales, quieren imitar al Creador supremo, Dios. Ya no deben aspirar a la similitud de las formas, sino a la analogía de los actos que las producen. Esto no quiere decir que Goya renuncie a entender la pintura como conocimiento del mundo, pero insiste en que se trata de un conocimiento determinado, que no puede reducirse al que proporcionan las ciencias. Por último, todos los artistas, no sólo los genios excepcionales, tienen derecho a liberarse de las reglas comunes. Descubrir la verdad, a la que el pintor aspira, pasa por adecuar la interioridad del individuo a los medios que utiliza, no por someterse a las tradiciones comunes y a las reglas que enseñan en las academias.

Estas tres ideas se relacionan de diferente modo con las doctrinas del pasado. La primera va imponiéndose progresivamente a la conciencia de los artistas y los expertos desde la época del Renacimiento, y a principios del siglo XVIII se ve impulsada por la filosofía de Leibniz, que introduce el concepto de «mundos posibles», paralelos al mundo real, pero diferentes de él. El objetivo del creador es imitar no la naturaleza visible, las formas materiales que percibe a su alrededor, sino el proceso de creación en sí. El artista crea un microcosmos análogo al cosmos, pero separado de él. Por esta razón, como decía Leon Battista Alberti, teórico del arte del siglo xv, «cuando pinta o esculpe seres vivos, se distingue entre los mortales como otro dios». Los creadores se asemejan al Creador.

Aunque los pensadores del momento no pasan por alto la segunda idea, la del arte como conocimiento, no forma parte de la corriente principal de la estética del siglo xviii, que se preocupa ante todo de defender la autonomía del arte y erigir la belleza como principio estructural de la obra. Goya es totalmente ajeno a estas inquietudes tanto en su manifiesto como en las obras que realizará en las décadas siguientes. No encontramos en él inquietudes básicamente estéticas ni aspiraciones concretas a la belleza. Intenta ante todo captar la verdad del mundo, tanto del que lo rodea como del de su mente. Pero a la vez es consciente de que este conocimiento es *sui generis* y no equivale al de los científicos, de que es un «conocimiento sensible», como habría podido decir con Alexander Baumgarten, que a mediados del siglo xviii inventó la palabra *estética*. Ese conocimiento privilegia lo particular en detrimento de la abstracción, como afirmaba a principios de ese mismo siglo el filósofo e historiador italiano Giambattista Vico.

Si la primera gran idea del informe de Goya se ajusta a la mentalidad de su tiempo, y la segunda es ligeramente anacrónica (aunque está presente en las mentes más sagaces de la Ilustración), la tercera es claramente revolucionaria y anuncia los profundos cambios artísticos que se avecinan: en pintura no hay reglas, cada uno debe seguir sus propias inclinaciones y es preciso dar libre curso al genio de los alumnos. De golpe y porrazo Goya formula con firmeza un principio que nadie a su alrededor se atreve a proclamar en voz alta. Para ello ha sido preciso que se relajara la influencia del orden social en las elecciones del individuo, una lucha que empezó en el Renacimiento, pero que en estos momentos adquiere intensidad. Se abre el camino a la emancipación del individuo respecto de las tradiciones de su arte. Esta audaz declaración en favor de la libertad de creación anuncia la pluralización de los ideales artísticos que tendrá lugar en los siglos xix y xx. Sin embargo, la posición de Goya es menos extrema que la de sus sucesores. La «ausencia de reglas» alude al modo de pintar, no al objetivo de la pintura, que sigue siendo mostrar el mundo. Y su negativa a que se imponga el mismo modelo a todos no significa que los alumnos no tengan nada que aprender, porque en ese caso Goya no se tomaría la molestia de reflexionar sobre la enseñanza de este oficio. Mientras que a su alrededor impera una visión uniforme de la excelencia en pintura, él reclama no la dejadez y la arbitrariedad general, sino una educación atenta a las cualidades de cada uno.

En adelante Goya no escribirá ningún otro texto destinado a exponer sus ideas generales sobre la pintura. Sin embargo, en los últimos años de su vida, en Burdeos, entablará amistad con un joven pintor, Antonio Brugada, y compartirá con él sus reflexiones. Brugada, que estará con Goya hasta su muerte, recordó algunas de ellas y se las contó al primer biógrafo de Goya, Laurent Matheron, que señala en su libro: «Debemos a la extrema bondad del señor Brugada valiosas informaciones sobre la vida de Goya». Brugada indica que, en Burdeos, Goya «hablaba muy poco de pintura y casi nunca respondía cuando le sacaban el tema». Esta observación hace todavía más plausible la veracidad de los comentarios que se han conservado, puesto que, afortunadamente para nosotros, esta regla tiene excepciones. Copio aquí dos comentarios atribuidos a Goya.

«En sus escasas conversaciones sobre pintura, al viejo Goya le gustaba burlarse de los académicos y de su manera de enseñar dibujo: "Siempre líneas y nunca cuerpos", decía. "Pero ¿dónde encuentran esas líneas en la naturaleza? Yo sólo veo cuerpos iluminados y cuerpos que no lo están, planos que avanzan y planos que retroceden, relieves y cavidades. Mis ojos nunca perciben ni líneas ni detalles. No cuento los pelos de la barba de un hombre que pasa, y los botones de su abrigo tampoco se detienen ante mi mirada. Mi pincel no debe ver mejor que yo. En contra de la naturaleza, estos profesores cándidos quieren detalles de conjunto, pero sus detalles son casi siempre ficticios o mentirosos. Atontan a sus jóvenes alumnos haciéndoles trazar, con su lápiz más afilado, y durante años, ojos como almendras, bocas como arcos o como corazones, narices como sietes al revés y cabezas como óvalos. ¡Ay! ¡Que les den la naturaleza, que es el único profesor de dibujo!"»

«Del mismo modo que negaba el dibujo, o más bien la línea, Goya negaba rotundamente el color, aunque era colorista. Apoyaba ambas negaciones en un solo argumento: "En la naturaleza el color existe tan poco como la línea. Sólo hay sol y sombras. Dadme un trozo de carbón y os haré un cuadro. Toda pintura supone sacrificios y decisiones", decía.»

Estas palabras dan continuidad al intercambio que Goya llevó a cabo con sus colegas académicos sobre la enseñanza de la pintura. Parte aquí de un principio: el pintor debe mostrar no el mundo como es, sino su visión personal de este mundo. Charles Yriarte, uno de los primeros biógrafos de Goya, que leyó el libro de Matheron, resume así esta idea: «Dibuja lo que ve, no lo que es». Es decir, ni líneas ni colores, sino luces y sombras; no detalles, sino masas en movimiento, «tal como se ven a distancia, a menos que se sea miope», añade Matheron (¿sigue parafraseando a Brugada?). Los «sacrificios» y las «decisiones» son los cambios que la percepción subjetiva aporta al mundo objetivo. Decir que toda la pintura se reduce a eso introduce una revolución copernicana.

Yriarte ofrece otra frase, aunque no da la fuente: «Como daba la mayor importancia a la luz, decía que un cuadro que produce el efecto adecuado es un cuadro acabado».[4] El objeto de sus cuadros es la experiencia del pintor, no el mundo en sí, y lo que garantiza la calidad de los cuadros es la experiencia del espectador, no sus cualidades materiales. Pero esto no significa que se trate de experiencias estrictamente individuales. Goya sabe que sus interlocutores pueden apoyar su visión, y cuenta con que muchos espectadores confirmarán los efectos de sus cuadros. La verdad a la que aspira la pintura no es individual, sino que todos podemos compartirla.

La enfermedad y sus consecuencias

Tras el debate en la Academia sobre la enseñanza de la pintura Goya se marcha a Andalucía. Seguimos sin saber el objetivo de este viaje. En cualquier caso, es probable que el pintor no tuviera previsto quedarse mucho tiempo, puesto que no había avisado de que iba a ausentarse a sus superiores, a los que habría debido pedir permiso. Tendrá que ocuparse del asunto a posteriori. Debía de tener también razones para no informar del viaje a su familia, y por eso ningún familiar irá a visitarlo. ¿Se trató de una escapada amorosa o pasional? ¿De compromiso político, dado que su amigo Ceán Bermúdez, historiador del arte, estaba exiliado en Sevilla, y es precisamente allí adonde se dirige? No lo sabemos, pero es poco probable que se trate de una simple excursión para ver cuadros. Allí, en noviembre de 1792, le aqueja una grave enfermedad de la que nos informan en primer lugar las cartas de sus amigos, y acto seguido las suyas propias (a partir de enero de 1793). Goya se desmorona en Sevilla, pero enseguida lo trasladan a Cádiz, a casa de su amigo Sebastián Martínez, donde se queda varios meses, al menos hasta abril. No recuperamos su rastro en Madrid hasta julio de 1793.

Los síntomas de la enfermedad que se describen no permiten deducir de qué se trataba. En una carta del 17 de enero de 1793 Goya dice que ha estado «dos meses en cama de dolores cólicos». Pasan dos meses, y el 19 de marzo de 1793 Martínez lo describe como todavía en cama y enfermo, «en malísimo estado». Diez días después leemos una descripción algo más detallada: «El ruido en la cabeza y la sordera nada han cedido», pero los demás síntomas van remitiendo, ahora ha recuperado los demás sentidos, ve, ya no pierde el equilibrio y puede subir y bajar las escaleras. En los días siguientes el propio Goya escribe a Zapater: «Estoy en pie pero tan malo que la cabeza no sé si está en los ombros, sin gana de comer ni de ninguna otra cosa» [1793]. Cuando ya ha pasado más de un año, sigue recordando la tristeza que le asalta y se describe así: «Unos ratos rabiando con un humor que yo mismo no me puedo aguantar, otros mas templado» (23 de abril de 1794). A esto se añade una alusión enigmática en una carta de Zapater a Francisco Bayeu: «A Goya, como te dije, le ha precipitado su poca reflexión» (30 de marzo de 1793). Estos síntomas se mantendrán hasta el final de su vida. Goya se quedará sordo y se expresará mediante el lenguaje de signos y escribiendo. Su pequeño consuelo es que durante su estancia en casa de Martínez puede contemplar la rica colección de cuadros y grabados que ha reunido su amigo, en la que descubre imágenes que no conoce, como las cárceles de Piranesi y las caricaturas de Hogarth.

Esta enfermedad, fuera cual fuera, provoca en él un cambio importante. La sordera es para él una dolencia menos dramática que para el coetáneo con el que suele compararse, Beethoven, pero los efectos son igualmente decisivos. La noche auditiva en la que se ve inmerso lo empujará a abrir mucho los ojos. Su manera de pintar, pero también de actuar, pasa a ser otra. La pérdida de contacto con el mundo exterior y la imposibilidad de comunicar oralmente, que refuerzan su soledad, agudizan su sentido de la vista y a la vez lo incitan a centrarse sobre todo en su interior, a explorar su imaginación. Renuncia a su puesto en la Academia y va retirándose progresivamente de la vida pública. La creciente atención que presta a sus sueños y fantasmas puede explicarse por estas mismas causas. Es cierto que las premisas del nuevo Goya estaban presentes en el antiguo, pero este acontecimiento le permite llevar a cabo el programa que había anticipado en su manifiesto. Liberado de las convenciones pictóricas de su tiempo, podrá avanzar en la búsqueda de la verdad. Retrospectivamente podemos decir que la desgracia de Goya fue la causa de la alegría de la enorme cantidad de personas que contemplan sus imágenes, ya que a partir de ese momento el ambicioso pintor con talento se convierte en un genio.

En la biografía abreviada sobre su padre, redactada poco después de su muerte, Javier Goya dice lo siguiente: «Observador con veneración de Velázquez y de Rembrant, no estudió, ni observó más que la naturaleza, que decía era su maestra, á lo que no poco contribuyó el haver perdido el oído á los cuarenta y tres años [en realidad a los cuarenta y seis]».[5] En esta frase encontramos tanto un eco del informe de Goya sobre la enseñanza de la pintura como una prueba de reconocimiento a los pintores de los que siempre se sintió cercano, pero sobre todo descubrimos la sorprendente importancia de la enfermedad, que provocó la muerte del oído y a la vez el segundo nacimiento del pintor.

Incluso se presenta como la principal responsable de su nueva pintura, la que lo diferenciará de todos los pintores anteriores. También es preciso señalar que este cambio radical interior coincide en el tiempo con un acontecimiento inaudito que hace que se tambaleen todas las sociedades del continente europeo: en enero de 1793 guillotinan al rey de Francia Luis XVI, primo del rey de España, lo que pone de manifiesto la insospechada fragilidad de un orden social que parecía derivar de la naturaleza del universo. Los dos acontecimientos, uno exclusivamente privado y el otro en la gran escena del mundo, debieron de contagiarse entre sí y tomar parte simultáneamente en la transformación mental que sufre Goya.

Su primera reacción a la nueva situación tiene lugar en su manera de pintar. El 4 de enero de 1794 envía once cuadros pequeños a Bernardo de Iriarte, amigo ilustrado y viceprotector de la Academia de San Fernando. Los cuadros van acompañados de una carta que explica su originalidad por la enfermedad que el pintor acaba de sufrir: «Para ocupar la imaginación mortificada en la consideración de mis males, y para resarcir en parte los grandes dispendios que me an ocasionado, me dediqué a pintar un juego de quadros de gabinete en que he logrado hacer observaciones a que regularmente no dan lugar las obras encargadas, y en que el capricho y la invención no tienen ensanches». Añade que su envío es una manera de hacerlos públicos, de «exponer esta obra a la censura de los profesores», y por lo tanto de indicar que están terminados (no son simples bocetos) y que merecen que los expertos los vean.

Como a menudo en Goya, la carta mezcla preocupaciones materiales («resarcir los grandes dispendios») y exigencias espirituales. Debido a su reciente enfermedad, pinta algo más que cuadros por encargo, por primera vez se ve empujado sólo por la exigencia interior, por la necesidad de expresarse. El cambio es tan importante que tiene que expresarlo por escrito. Lo había anticipado en cartas anteriores a su enfermedad, pero en términos más vagos. «Pero ni a Salas ni a ti ago ánimo de dar tales [dibujos], sino otros que sean más de mi gusto», escribía a Zapater el 21 de enero de 1778, y diez años después lo concreta un poco: «Y el tiempo sobrante emplearlo en cosas de mi gusto, que es de lo que carezco» (2 de julio de 1788).

Ha elegido con cuidado las palabras de esta última carta a la Academia. *De gabinete* significa aquí 'de pequeño formato', y debe entenderse *imaginación* en el sentido de 'mente', no de 'fantasía' (sólo piensa en su enfermedad). Lo más importante es que mediante esas imágenes que ha elegido libremente, que no ha pintado por encargo, hace «observaciones» de lo que existe fuera de él. Estas obras dejan además espacio al «capricho», aquí en el sentido de fantasía y de libertad, y a la «invención». Encontramos pues una original articulación de lo observado y lo inventado, de lo real y lo imaginario. Mientras que los demás pintores han elegido pintar o uno u otro registro, Goya quiere mantener los dos simultáneamente y que se enriquezcan mutuamente. Con cierta torpeza expresiva afirma algo muy nuevo: lo imaginario no se opone a lo real, sino que, al contrario, permite ponerlo de manifiesto. En una segunda carta a Iriarte, unos días después, describe el tema de uno de los cuadros, *El corral de locos* (GW 330). En esa misma época una carta a Zapater redunda sobre lo mismo: «Ya elegiría la libertad y aun trabajo para conseguirla» [1793]. Ya unos años antes, alabando la energía de su amigo, se situaba así respecto de él: «Tu te lo allas en la manga, como yo el inbentar en la Pintura» [febrero de 1784].

Los cuadros, junto con la carta, tienen pues valor de manifiesto, ya que dan testimonio de que, pese a que su enfermedad ha debido de dejarlo profundamente abatido, Goya no ha perdido la capacidad de pintar. Al mismo tiempo muestran al mundo el cambio radical que ha sufrido después de su enfermedad, y por eso son de excepcional interés. La Academia recibe los cuadros y los clasifica como «varios asuntos de diversiones nacionales», seguramente por las imágenes de tauromaquia que incluyen. Más tarde Goya recupera los cuadros y los vende a un coleccionista. En la actualidad se han identificado esos cuadros como una serie de quince de pequeño formato pintados sobre hojalata (GW 317-330, 929). Todos representan escenas realistas, no seres imaginarios, lo que hace que las frases de Goya resulten un poco más enigmáticas. Se dividen temáticamente en dos grupos: ocho tauromaquias y siete de temas variados.

Las escenas de tauromaquia, de las que cabe pensar que son algo anteriores a la enfermedad, muestran las diferentes fases de una corrida, desde la elección de los toros (GW 317) hasta la retirada del toro muerto (GW 324). Recordemos que en esta época los amigos ilustrados de Goya desprecian y vilipendian los toros, pero el pintor nunca renuncia del todo a sus aficiones «plebeyas». Recurre pues a su enfermedad para mostrarlas, como si hubiera dejado de preocuparle la impresión que pudieran causar. A este respecto debemos señalar que los cartones para tapices contienen gran cantidad de escenas de la vida cotidiana de personas corrientes y de fiestas populares, pero ninguna tauromaquia. De los ocho cuadros, tres tienen que ver con la muerte –del picador (GW 322) y del toro (GW 323-324)–, y cinco muestran plazas de toros parecidas a la de Sevilla, donde estaba Goya poco antes de caer enfermo (las otras tres seguramente remiten a recuerdos más lejanos, porque parecen de un pueblo). Todos ilustran su habilidad para representar cuerpos en movimiento.

Entre los otros siete cuadros figuran, en primer lugar, dos escenas de teatro popular, que también podrían incluirse en la calificación de «diversiones nacionales»: *El vendedor de marionetas* (GW 326) y *Los cómicos ambulantes* (GW 325). El primero, que se ha expuesto en muy raras ocasiones, representa de frente a un grupo de niños observando fascinados unas marionetas que rodean al personaje central, el vendedor, vestido con una capa oscura y un gran sombrero. El vendedor está situado de espaldas, por lo que su silueta esconde lo que está mostrando a su público. Los niños observan las marionetas como nosotros los observamos a ellos. Para nosotros el espectáculo son los espectadores. A su lado vemos a un adulto que parece totalmente ajeno a la escena. Está sentado en pose distendida y no mira a los niños y al vendedor, sino algo situado fuera del cuadro. La imagen de estos dos adultos introduce misterio en la escena: a uno no lo vemos, y la presencia del otro es inexplicable. Las caras de los niños no están realmente pintadas, sino sólo indicadas, reducidas básicamente a su mirada fascinada («toda pintura supone sacrificios»). El lugar en el que tiene lugar la escena, al aire libre, queda bastante indeterminado, ya que consiste en manchas de color sin brillo.

El segundo cuadro (**il. 3**) incluye una inscripción, «aleg. men.», abreviatura de «alegoría menandrea», una fórmula de la *commedia dell'arte*, que suele proclamarse heredera del dramaturgo griego Menandro. La elección del punto desde el que se ve la escena es singular, puesto que nos muestra a los artistas y al público situado a su derecha, pero no al que está delante de ellos. Estos espectadores existen todavía menos que los niños del cuadro anterior, ya que sus caras son borrosas. No son individuos, sino miembros intercambiables de una multitud, reducidos a simples manchas de color. Así pues, la multitud es una suma de individuos que elimina su singularidad y atribuye a todos una voluntad y una personalidad comunes. La desaparición de los rasgos distintivos puede ser amenazante, porque esa multitud anónima

–entidad que por primera vez en la historia de la pintura vemos representada de esta manera– obedece sus propias pulsiones, y en otras circunstancias puede convertirse en «populacho», retomando un término de Goya.

La escena que representan los actores es la de Polichinela, que se lleva a Colombina ante la mirada perpleja del ingenuo Pantalón. Entretanto Arlequín divierte al público haciendo malabares con dos vasos llenos de vino, mientras un enano, con una jarra de vino y un vaso en las manos, baila en la parte delantera del estrado. La seducción de Colombina va acompañada de la embriaguez. Pantalón y Colombina van vestidos como burgueses, mientras que los demás personajes son simples saltimbanquis. Arlequín y Polichinela llevan máscaras, que no esconden su identidad, sino que la indican. Este tipo de espectáculo, que también despreciaban los ilustrados, llama la atención de Goya, como si el teatro pudiera decir la verdad de los comportamientos humanos de forma más directa que los gestos que se observan en la vida cotidiana (el pintor comparte este interés por el teatro con otros artistas del siglo XVIII, como Watteau, Magnasco y Hogarth, y más adelante Füssli y Giandomenico Tiepolo). Como en el cuadro anterior, el paisaje es sorprendente: el cielo es del mismo color que las montañas en el horizonte, y las montañas apenas se diferencian del telón situado detrás de los artistas y del podio en el que actúan. Las masas de colores son más importantes que las formas.

Otros tres cuadros nada tienen de «diversión nacional», a menos que tomemos esta expresión en sentido irónico, puesto que son escenas de violencia. Uno de ellos es *El asalto de la diligencia* (GW 327, il. 4). No es la primera vez que Goya pinta este tipo de situaciones. Un cuadro de vida cotidiana de la década de 1770, que no es un cartón para tapices, muestra ya a *Bandidos asaltando una diligencia* (GW 152). Diez años después, en 1787, Goya pinta para el duque de Osuna, cliente de gustos ilustrados, *El asalto de la diligencia* (GW 251), de una factura bastante libre, pero el tratamiento del mismo tema en el nuevo cuadro es diferente: en lugar del entorno bucólico –un bonito bosque y un cielo idílico– descubrimos un lugar siniestro, rocoso y desértico; los colores claros y vivos ceden su lugar a un magma fangoso, bastante parecido al que rodeaba a los artistas de la *commedia dell'arte*. En el cuadro de 1787 veíamos cadáveres, pero al menos los bandidos escuchaban las súplicas de las víctimas, que estaban atadas. En el nuevo se ha eliminado a los que molestaban. Los bandidos los masacran con indiferencia y mirando a otra parte. No hay rastro de visión romántica de los forajidos, que son asesinos sin piedad. Aquí se muestra la violencia en estado puro, sin preocuparse por las normas sociales. La segunda escena tiene lugar en la cárcel (*Interior de cárcel*, GW 929, il. 5). Bajo una gruesa bóveda iluminada desde el fondo yacen siete hombres vestidos con harapos. Están todos encadenados, unos de forma más cruel que otros, por las manos, los pies y el cuello. Sus posturas delatan su desesperación. Están condenados a una inmovilidad de la que sólo podrán librarse con la muerte. ¿Son criminales, como, por ejemplo, los bandidos del cuadro anterior, que en este caso han sido encarcelados? Si es así, no por ello su suerte es menos cruel que la de sus víctimas. La muerte rápida de las víctimas se equipara a la muerte lenta de los encarcelados, ya que la violencia impersonal de la justicia no es menos despiadada que la de los bandidos, a título individual. Sus cuerpos parecen frágiles en comparación con el grosor de las paredes que los rodean. Las formas se mezclan todavía más que en el cuadro anterior, y todos los colores se contagian del tono gris del lugar.

La última escena, *El corral de locos* (**il. 6**), se sitúa en un manicomio, y Goya lo describe en la segunda carta a Iriarte: «Representa un corral de locos, y dos que están luchando desnudos con el que los cuida cascándoles, y otros con los sacos; (es asunto que he presenciado en Zaragoza)» (7 de enero de 1794). Las posturas de los locos son tan teatrales que algunos se han preguntado si no se trata de la escena de un espectáculo al que asistió Goya en Zaragoza, lo que parece poco probable. Aun así, podemos constatar que este lugar del manicomio parece efectivamente una escena teatral, y tanto los gestos de los locos como sus muecas exageradas recuerdan a los de los actores y bailarines profesionales, salvo que en este caso los actores se confunden con su papel. Respecto de las dos obras anteriores, *El asalto de la diligencia* e *Interior de cárcel*, nos llama la atención la casi monocromía del cuadro. El suelo, las paredes y los cuerpos desnudos o semidesnudos parecen participar de la misma sustancia. La frase «es asunto que he presenciado» (u otras parecidas que Goya empleará más adelante) no debe tomarse demasiado al pie de la letra. Indica que el pintor se inspiró en hechos que puede asegurar que son auténticos, no que reproduzca una escena fielmente.

Es la primera imagen de locura de Goya, que en lo sucesivo retomará a menudo el tema de la razón y la sinrazón, hasta el punto de que durante muchos años se extenderá la leyenda de que el propio pintor se volvió loco. Ningún dato de su vida confirma esta imagen popular. Los ilustrados de su tiempo entendían la locura como una simple carencia o una decadencia. Por el contrario, en la estética romántica, que empieza a consolidarse desde principios del siglo XIX, se revaloriza la locura como manifestación de un estadio extremo de humanidad. El loco es primo hermano del genio. Desde esta primera imagen, la actitud de Goya es otra. Para él la locura nada tiene que ver ni con lo inhumano ni con lo demoniaco, no es una simple curiosidad ni un heroico alejamiento del individuo respecto de las reglas sociales. Los locos de Goya son raros y a la vez familiares, porque la locura no sólo no nos es extraña, sino que está en nosotros, y los márgenes de la condición humana permiten iluminarla. Podemos pensar también que el tema del encierro, común a la cárcel y al manicomio, no se le ha ocurrido por las buenas, ya que Goya acaba de descubrir el aislamiento que le impone la sordera. Ahora el loco y el prisionero son él mismo.

Los dos últimos cuadros de esta serie representan también escenas de violencia, pero producto del desencadenamiento de los elementos naturales: *El naufragio* (GW 328) y *El incendio* (GW 329), dos imágenes de gran fuerza. *El naufragio* muestra a un grupo humano formado por muertos y vivos entre las olas, algunos tumbados en rocas. En el centro, una mujer alza los brazos al cielo en vano. *El incendio* (**il. 7**) sustituye el terror del mar por el de las llamas, que parecen avanzar hacia el grupo de personas, más numeroso y compacto que el de *El naufragio*. Los cuerpos, desnudos o vestidos, aparecen como empujados por el ímpetu del fuego, y algunos –¿enfermos, inválidos, muertos?– son llevados por sus compañeros. Las caras apenas están marcadas, y la ropa y los cuerpos de los fugitivos se confunden. Los individuos ya no existen, se han convertido en simples elementos de una masa humana en ebullición. En este caso salimos del marco de la representación de un acontecimiento real, incluso extremo, porque el cuadro de Goya adquiere una dimensión simbólica. La luz del fuego ilumina fugitivamente una humanidad sumida en las tinieblas, empujada por un torbellino. Este incendio no tiene lugar en un momento concreto ni en un lugar determinado. Pone de manifiesto la situación del mundo entero, y a la vez algo interno de todo ser humano. Las catástrofes naturales se convierten en símbolo de una dimensión de la existencia, y el caos que provocan es cualquier cosa menos eufórico.

Estos dos cuadros muestran la extrema angustia humana, pero no por ello podemos calificarlos de melodramáticos o de sentimentales.

Goya, con un agudo sentido del movimiento y también con una precisión algo fría, pinta la impotencia de las víctimas. Estos cuadros, junto con los tres anteriores, se cuentan entre las primeras representaciones en la pintura europea de una violencia que sobreviene en la existencia normal y corriente, que puede golpear a todo el mundo y que no resulta mitigada por ninguna alusión mitológica, ninguna mirada satírica y ninguna anécdota. Se trata de una desgracia sin esperanza, ni divina ni humana. Es imposible describirlos como elogios o condenas. No aluden a certezas morales, sino que muestran angustias y nos sumen en la perplejidad. El destino, que ha infligido a Goya su enfermedad, al mismo tiempo le ha abierto los ojos sobre algo que también forma parte de la vida: la impotencia frente a los desastres.

La manera como el pintor lleva a cabo su tarea sorprende por su extrema libertad. Todos los cuadros de esta serie tratan temas marginales (tauromaquia y teatro, violencia y locura), que no podían tener lugar en los encargos oficiales. Además, los siete últimos son, para las normas de la época, «cuadros inacabados», pintados con «menos cuidado». Al enviarlos a la Academia, Goya quiere decir que, pese a las apariencias, están sin duda «acabados», puesto que el efecto que producen le parece «adecuado». En sus predecesores observábamos este tipo de ejemplos sólo en los bocetos, no destinados a que los viera el público. Aquí la perspectiva ya no es rigurosa, sino que se ha alterado el orden del mundo. Los límites de los objetos se desdibujan y pasamos sin transición de uno a otro, porque así se presentan ante la mirada del pintor. Lo que ahora organiza los cuadros es la mezcla de las sombras y las luces. El trazo que debería delimitar los objetos se elimina en beneficio de las masas de colores, cuya función ya no es designar. No reflejan la realidad de los objetos, sino que parecen expresar la actitud del pintor frente a lo que muestra y ofrecer un marco adecuado a la escena que tiene lugar.

Goya ya no pinta el mundo como es en sí mismo, sino la visión que de él tiene un individuo. La percepción subjetiva ha sustituido a la objetividad personal, y a lo que ahora aspira su pintura no es a reproducir formas, sino a captar el espíritu de un lugar, de un acto o de un ser. Fiel a sus ideas, ha preferido seguir las inclinaciones de su mente, en lugar de doblegarse ante las reglas académicas. Pero esto en absoluto quiere decir que ceda a la complacencia narcisista ni que dé prioridad a su yo. Goya está todo él volcado hacia el mundo. Sencillamente, sabe que el conocimiento es necesariamente subjetivo. Pero la subjetividad de la que da muestras no es sólo suya, sino que invita al espectador a compartirla para que pase a ser la de todo el mundo. Lo individual no se opone a lo común.

En muchos aspectos, este grupo de cuadros, que datan de 1793, anuncia una ruptura con las tradiciones de la pintura europea establecidas casi cuatrocientos años antes. La creación de cuadros se había integrado en un sistema global que determinaba su sentido y su función. Tanto los gestos humanos como los objetos de la naturaleza inanimada poseían un significado convencional que estaba incluso catalogado en los tratados de iconología. Las imágenes servían para decorar las iglesias, los palacios o, algo después, las viviendas de los aficionados acomodados, y se ajustaban a las exigencias de quienes los encargaban. Pero resultó que Dios, garante de este orden que parecía destinado a durar eternamente, retrocedió y que los regímenes políticos que lo reivindicaban se tambalearon. La cabeza del rey de Francia rodó por el patíbulo.

En ese momento Goya pinta cuadros que nadie le ha encargado, cuadros que él, el humilde individuo, decide pintar empujado exclusivamente por su necesidad interior. La jerarquía de la pintura queda puesta en cuestión junto con la del orden social, y empieza a aparecer una nueva exigencia de igualdad. *El albañil herido* (**il. 1**) ya no se ajustaba a un código de interpretación determinado. Ahora la propia idea de código es inadecuada. Los académicos de San Fernando intentan aferrarse a categorías antiguas, como «diversiones nacionales», pero ¿qué tienen de divertidas las escenas de asesinatos, de cárceles, de locura y de catástrofes naturales que angustian a la población? Estas escenas ya no se ajustan a un catálogo de signos convencionales. Goya las representa sin indicarnos cuál es su objetivo. Sintió que mostraban algo esencial a la condición humana, y eso le bastó para que considerara útil colocárnoslas ante los ojos.

La pintura europea de los siglos anteriores se sometía a dos exigencias: dar lecciones de sabiduría y de moral, en función del discurso de la religión o de la filosofía, y a la vez seducir a los espectadores con la belleza del cuadro, la armonía de líneas y colores. Como la poesía, la pintura debe instruir y a la vez deleitar, en proporción variable según las épocas. El estilo neoclásico, que domina la escena pictórica en el momento en que Goya entra en ella, redujo la instrucción a la conformidad con los temas y géneros canónicos, y la belleza a la ornamentación armónica. Pero Goya rechaza las dos vías. Sus cuadros no ofrecen ninguna lección, ningún mensaje. Son representaciones literales –así es la celda de una cárcel, un manicomio, un incendio–, pero no se preocupan por el puro placer visual, por las bonitas formas y el bello decorado. Goya está a años luz de buscar el «placer desinteresado», que en esa misma época Kant identifica como ley fundamental de las artes.

En la pintura europea de los siglos anteriores, someterse al bien y a lo bello era el camino para acercarse a la verdad, la del mundo visible y la del ser humano. Este último objetivo será el único que conservará Goya. Ahora responde a una única necesidad: sacar a la luz el enigma del mundo, investigar con valor, despiadadamente si es preciso, su ser. Al haber estado tan cerca de la muerte, y por lo tanto haberse enfrentado a su propia finitud, decide ir directamente a lo esencial, al menos en parte de su obra. Pero esto no significa que renuncie a representar el mundo, aunque las categorías habituales queden desdibujadas. La «observación» tiene que ver con los temas, y la «invención», con la manera de representarlos.

Recuperación y recaída: la duquesa de Alba

En 1795 Goya conoce a alguien que será importante para él, la duquesa Cayetana de Alba, una de las mujeres más ricas y más poderosas del reino, pero también una de las más bellas y de costumbres más libres. El encuentro se explica por la fama de Goya como retratista, aunque es curioso. Goya lo cuenta en una carta a su amigo Zapater: «Se me metió en el estudio a que le pintase la cara, y se salio con ello; cierto que me gusta mas que pintar en lienzo» (2 de agosto de 1794). Una escena extravagante... Sólo una persona de su rango social puede permitirse el gesto de pedir al pintor del rey que la maquille. Hablan también de un retrato (seguramente el GW 351, bastante oficial). En ese mismo año Goya pinta un retrato del duque (GW 350), con el que Cayetana se había casado a la edad de trece años. Otro cuadro, más pequeño y bastante cómico, la muestra en una escena íntima, golpeando a su dueña, que se queda aturdida (GW 352). En esos momentos la duquesa tiene treinta y tres años, y Goya cuarenta y nueve.

Todo invita a pensar que la relación adoptó un giro erótico, aunque ningún documento lo atestigua formalmente (algunos historiadores niegan la posibilidad de que tuvieran una aventura amorosa). En mayo de 1796 Goya se desplaza a Andalucía para pintar imágenes religiosas, ver a sus amigos y admirar otros cuadros. El 9 de junio el duque muere súbitamente, a los cuarenta años de edad, mientras estaba solo en su casa de Sevilla. Pero en julio de ese mismo año Goya se aloja en Sanlúcar, en otra residencia del duque, en compañía de la duquesa de Alba. Hay testimonios de que Cayetana se ausenta en el mes de septiembre, pero no tarda en volver. En cuanto a Goya, sólo sabemos que en diciembre y enero está en Cádiz y que el 1 de abril se encuentra en Madrid. ¿Se quedó en Sanlúcar en octubre y noviembre de 1796? ¿Volvió en febrero y marzo de 1797? En febrero de este mismo año, en Sanlúcar, la duquesa hace testamento, y entre sus herederos figura el hijo de Goya, Javier.

El primer indicio claro de que la relación ha pasado a ser más íntima lo encontramos en el álbum que Goya empieza a dibujar en el verano de 1796, el llamado «álbum A». En esta época el artista empieza a hacer algo que seguirá haciendo hasta su muerte, treinta años después: suele pintar lo que ve o lo que piensa, de modo que constituye una especie de diario visual para sí mismo y para sus amigos más cercanos. Las imágenes de este álbum son reveladoras, ya que descubrimos a la duquesa en la intimidad, peinándose (GW 358), acariciando a su hija adoptiva negra (GW 360) y escribiendo (GW 374). Parece que Goya puede observarla de cerca en su vida cotidiana. Los demás dibujos del mismo álbum sugieren todavía más un ambiente de intimidad y de sensualidad. Vemos a jóvenes desnudas, solas o acompañadas. La relación íntima entre el pintor y la duquesa no pudo empezar tras la muerte del duque, sino unos meses antes, por lo menos.

Un retrato de la duquesa pintado en 1797, en el que está vestida de maja y lleva en los dedos dos anillos con los nombres de «Goya» y «Alba» grabados (GW 355), sugiere un estadio ulterior de la relación. En el suelo leemos otras palabras escritas en la arena: «Solo Goya». La palabra *solo* se cubrió en fecha posterior, y volvió a aparecer tras restaurar el cuadro. Es poco probable que este cuadro, que da muestras de la proximidad entre el pintor y su modelo, circulara entre el público. Sabemos que la tela se quedó en el estudio de Goya al menos hasta 1812, de modo que de alguna manera lo pintó para sí mismo. También observamos en este cuadro el gesto firme, incluso autoritario, de la duquesa, cuya mano señala la inscripción del suelo. Este retrato es evidentemente menos rígido que el anterior.

La imagen de la duquesa también aparece en los *Caprichos*, que datan básicamente de 1797-1798. Por ejemplo, el *Capricho 19* (GW 489), que muestra a majas que han desplumado a sus pretendientes-pollos y se preparan para asarlos, representa también en las ramas de un árbol a una mujer-pájaro con los rasgos de la duquesa, muy cerca de un hombre que se parece a Goya, mientras otro pájaro masculino con ropa militar se aproxima a ellos. En el *Capricho 61* (GW 573), titulado *Volaverunt*, que significa (en latín) 'volaron', 'se marcharon de una vez por todas', la duquesa vuela, ahora tiene alas de mariposa pegadas a la cabeza y una gran capa negra unida a los brazos. Un grupo de tres personajes masculinos aparece como suspendido a sus pies. La imagen forma parte de una serie de *Caprichos* de brujas, y los comentarios de la época aluden al mundo de la brujería. Su interpretación no es evidente, aunque en cualquier caso la duquesa parece salir volando y desaparecer (mientras que en sus retratos tenía los pies bien asentados en el suelo). ¿Querría decir que mariposea y se va con otros hombres?

Es lo que sugiere otra imagen de la época, seguramente excluida de los *Caprichos* porque hace una alusión demasiado concreta (GW 619, fig. 2). Su dibujo preparatorio (GW 620) lleva la siguiente leyenda: *Sueño. De la mentira y la inconstancia*. Estas imágenes cuentan toda una historia. Vemos a una mujer con las mismas alas de mariposa que en el *Capricho 61*. Se parece a la duquesa, pero tiene dos caras. Una de las caras mira a un hombre con los rasgos de Goya, afligido, que la coge del brazo con gesto de súplica, como si pidiera atención y consuelo. La otra cara está vuelta hacia otro hombre, un nuevo pretendiente, que se acerca llevándose el dedo a la boca. Pide silencio, que no se traicione el secreto. Otra mujer, que suponemos que es la sirvienta, tiene también dos caras y participa de la duplicidad de su ama. Por último, una máscara entre dos sacos, delante del grupo, lanza una sonrisa burlona mientras observa atentamente el enfrentamiento de una serpiente (alguien que engaña) con dos ranas.

Volvemos a encontrar esta comparación de la mujer con la serpiente en un dibujo de la misma época (GW 648), que pertenece a una serie en la que un personaje humano está ante un espejo, que le devuelve una imagen que no se parece a él, sino que muestra su verdadera naturaleza, a menudo encarnada por un animal. Una mujer del tipo de la duquesa se sitúa ante el espejo, pero la imagen que ve es la de una serpiente.

Si aceptamos buscar en estas imágenes las huellas de experiencias vividas, podemos reconstruir el curso de los acontecimientos de la siguiente manera: tras un primer periodo en el que se esbozan movimientos de aproximación (1795), en 1796 se instaura la intimidad entre el hombre y la mujer, que romperá la duquesa en los primeros meses de 1797. ¿Debemos interpretar que la frase «Solo Goya» surge de la duquesa, que exige con su gesto que el pintor se someta incondicionalmente a cambio de su consentimiento? ¿O como el deseo del pintor, que se desespera al ver que se le escapa? El estadio siguiente es de celos y separación. La duquesa se aleja de Goya volando hacia nuevas aventuras («mentira e inconstancia»).

Este episodio biográfico no es anecdótico, sino que señala la transformación interior del pintor. Evidentemente, estamos en el terreno de la hipótesis, aunque esta hipótesis se apoya en las huellas que dejó Goya en sus imágenes. Tras el trauma de la enfermedad, que debió de

Fig. 2. *Sueño. De la mentira y la inconstancia.*

causarle la sensación de que estaba envejeciendo, de aislamiento y de inferioridad, el pintor no pudo evitar sentirse revigorizado por la atención y la benevolencia que le prodiga la dama más bella y rica de España. Pero su euforia dura poco, lo que dura el álbum A, que contiene imágenes que figuran entre las más luminosas de la obra de Goya. Para la duquesa, la aventura con el famoso pintor (aunque un poco viejo y además sordo) parece no haber sido más que una distracción entre otras. Unos meses después, como máximo un año, la interrumpe tan repentinamente como la había empezado. El rechazo de esta dama brillante hace que Goya se hunda todavía más en el aislamiento y la soledad. Lo que había considerado un remedio se convierte en algo que acentúa la enfermedad. Ahora ya es viejo (¡cincuenta y un años!), y está sordo y débil. La ilusión de que todavía puede seducir y participar en escarceos pasionales y, más allá de eso, en la vida activa se disipa. En el otoño de 1792 la enfermedad lo había liberado definitivamente de las convenciones que imponía la pintura de su época, tanto en la elección de los temas como en la manera de representar el mundo visible. En la primavera de 1797 la ruptura afectiva hace que se vuelque básicamente en su universo interior, que en adelante intentará expresar. Las formas imaginarias fluyen sin reservas de sus pinceles.

La duquesa muere en 1802, a los cuarenta años de edad (como el duque), a consecuencia de una enfermedad misteriosa. Corre el rumor de que la han envenenado. Goya dibuja para ella un proyecto de mausoleo (GW 759) y mantiene a la vista su retrato.

Fig. 3. *Caricatura alegre.*

Máscaras, caricaturas y brujas

Podemos observar la evolución de Goya en el siguiente álbum de dibujos, el llamado álbum de Madrid (o B). Recordemos que desde 1796 hasta su muerte, en 1828, no se limita, como todos los pintores anteriores, a dibujar para preparar sus cuadros o sus grabados, sino que realiza series coherentes, que hoy en día llamamos «álbumes», en las que los dibujos están numerados, y en la mayoría de los casos provistos de una leyenda, una práctica nueva en la época. Contamos con ocho álbumes en total, que los especialistas de Goya designan por letras del alfabeto, de la A a la H. Después de su muerte, los herederos del pintor desmantelaron los álbumes para poder vender cada hoja por separado. Afortunadamente los historiadores actuales han logrado reconstituirlos.

El álbum B es el inmediatamente siguiente al A, que contiene los croquis de la duquesa de Alba, y data de los mismos años 1796-1797. Su primera mitad (treinta y ocho dibujos, de los setenta y cuatro conservados) está formada por imágenes que captan observaciones del mundo exterior: majos y majas, amos y sirvientes, parejas diversas... (GW 377-414). No estamos lejos de la realidad que representaban los cartones de Goya anteriores a 1792, destinados a ser modelos de tapices. Las cosas cambian radicalmente hacia la mitad del álbum, que probablemente corresponde a la primavera de 1797: irrumpen formas antes desconocidas y se pasa de visiones alegres a imágenes satíricas. Estos dibujos anuncian y preparan el primer volumen de grabados, que Goya publicará poco después, en enero de 1799: los *Caprichos*. Por primera vez aparecen también, junto con los dibujos, leyendas y títulos genéricos, como *Brujas*, *Máscaras* y *Caricaturas*, como si el pintor sintiera la necesidad de indicar mediante la palabra cómo deben interpretarse las imágenes. *

---

* Esas leyendas son en la actualidad el título de los dibujos, y por eso en nuestro texto aparecen en cursiva. Los grabados, por el contrario, tienen título (por ejem-

Más o menos la mitad de los dibujos posteriores a esta ruptura siguen abordando los mismos temas que los anteriores, aunque parece que la actitud del artista ha adquirido más importancia que la representación fiel de la realidad. Volvemos a encontrar el mundo de los majos y las majas, los juegos de coquetería y seducción. Aun así, se muestra más abiertamente la sensualidad, y al mismo tiempo se eliminan los detalles del cuerpo y de las caras en favor de efectos de luz y de ambiente. En otros dibujos aparecen personajes marginales de la sociedad, como prostitutas y bandidos. Como causa o efecto de este cambio, la propia técnica de Goya evoluciona. Podemos verlo en el dibujo B 85 (GW 443), situado en medio de la serie dedicada a las prostitutas y que lleva esta larga leyenda: *Es berano y a la luna toman el fresco y se espulgan al tiento.* En primer plano, dos jóvenes medio desnudas están sentadas ante una ventana abierta. Detrás de ellas se ve a un hombre, que parece muy interesado sobre todo por las partes de los cuerpos femeninos en las que podrían esconderse las pulgas. Los rostros apenas están indicados. La atmósfera de conjunto es cautivadora y recuerda en buena medida a la de algunos dibujos de Rembrandt, pintor al que Goya admira.

Otros dibujos muestran a individuos con máscara. Algunas veces la ocasión viene dada por una fiesta religiosa en la que se llevan esas máscaras, el carnaval o la semana santa. Goya mantendrá durante mucho tiempo su afición a estas mascaradas, que volveremos a encontrar en cuadros más tardíos. Otras veces la máscara asume una función concreta: poner de manifiesto la identidad secreta del personaje que la lleva puesta. Esconde el rostro, pero muestra el interior, que no puede verse. Es el caso de varios hombres con cabeza de asno que contemplan el pecho de una mujer (GW 415) y de otro que quisiera hacerse pasar por letrado (GW 432). Para Goya la máscara puede decir la verdad, mientras que el rostro engaña. Estamos aquí lejos del mundo de Pietro Longhi, el pintor veneciano contemporáneo de Goya, en el que el antifaz negro disimula los rasgos del individuo.

Lo real no es lo verdadero. Cada quien construye su identidad. En la vida cotidiana, el individuo acaba creándose una serie de personajes cuyos papeles asume en función de las circunstancias, pero nada indica a los demás que se trata de creaciones. Por el contrario, si llevamos una

---

plo, *Capricho* 64) y leyenda («Buen viaje»), que por lo tanto aparece en el texto entre comillas.

máscara, en lugar de ser víctimas de nuestro disfraz, somos conscientes de él y no lo escondemos a los demás. Si la máscara está bien elegida, muestra a la persona, mientras que el rostro la disimulaba. Al colocar esas máscaras en los rostros que dibuja, Goya muestra a la vez el carácter de creación de todo individuo y lo que sus actuaciones públicas suelen esconder. Sustituye las poses inconscientes y disimuladas por máscaras elegidas que están a la vista. Esta utilización de la máscara recuerda al teatro. Al situarse en escena, lo vivido deja de ser obvio. Al convertirse en espectáculo, se problematiza. El hombre se muestra cuando se disfraza. Para que los papeles que representa en el escenario sean creíbles, el actor debe recurrir a profundidades de su mente cuya existencia ni siquiera él suponía. El personaje que crea –una máscara, si se quiere– se aleja de su identidad habitual y al mismo tiempo le permite ser más verdadero. Así, la ficción muestra el mundo mejor que la existencia corriente, y la máscara dice la verdad que esconde la mentirosa apariencia del rostro descubierto.

Las caricaturas, en este sentido cercanas a las máscaras, simplifican y amplifican los rasgos del rostro para hacer visible lo que a menudo intenta mantenerse en secreto. La diferencia entre ambas reside en que las máscaras se atribuyen a los personajes representados, mientras que la caricatura procede del mundo de la representación. Así, Goya fuerza el trazo eliminando todos los detalles inútiles y recurriendo a la hipérbole, lo que nos permite descubrir el reverso de esos individuos serios o irrisorios, ingenuos o pretenciosos. A diferencia de otro artista algo anterior a él cuya obra conoció, William Hogarth, pintor inglés de la primera mitad de siglo, en Goya las «caricaturas» no se oponen a los «caracteres». Exagerar es un camino hacia la verdad de las personas, no una manera de expresar cómo las juzga el artista. Es el caso del marido engañado por su mujer (GW 418), del pretencioso aprendiz de músico (GW 425), de las mujeres borrachas (GW 427) y del charlatán sacamuelas (GW 428). Y también de los frailes glotones y lúbricos que se atiborran ávidamente (en *Caricatura alegre*, GW 423, **fig.** 3), con uno de ellos en primer plano cuya nariz se ha convertido en un pene tan pesado que necesita una muleta para sujetarlo.

Quizá sorprenda encontrar la palabra *brujas* junto con los dos otros términos genéricos, *máscaras* y *caricaturas*, que aluden a un modo de existencia, no a un tipo de personas. Esta proximidad puede interpretarse como indicio de que las brujas a las que vemos no deberían tomarse en sentido literal. También ellas no son más que representaciones caricaturizadas o máscaras de personas corrientes. Todas estas visiones imaginarias permiten acceder a la verdadera identidad de las personas mejor que las formas visibles que capta el ojo. Lo mismo sucedía con la serie ya mencionada de personajes delante de un espejo. La imagen reflejada resultaba ser más elocuente que el original (como en el dibujo de la mujer-serpiente), y lo invisible era más exacto que lo visible. En este sentido podría entenderse también una frase que, en un poema de cosecha propia que manda a su amigo Zapater, Goya se aplica de broma a sí mismo: «Soy un pinta diablos» (19 de noviembre de 1788). En otra carta a Zapater, Goya indica a su manera que detrás de las brujas y los demás demonios que representa hay que ver sencillamente rasgos humanos: «Ni temo a brujas, duendes, fantasmas, balentones, gigantes, follones, malandrines, etc. ni ninguna clase de cuerpos temo, sino a los humanos» (febrero 1784).

Dos dibujos del álbum de Madrid incluyen brujas. En el momento en que las dibuja, Goya se ha hecho amigo del dramaturgo Leandro Fernández de Moratín, un ilustrado entusiasta de las historias de brujas y de la Inquisición que ofreció al pintor la información necesaria para sus imágenes. La primera que muestra a brujas (GW 416, **fig. 4**) lleva por leyenda *Brujas a bolar*. Goya retomará posteriormente este dibujo en el *Capricho 70* (GW 591), titulado «Devota profesión».

Vemos en él a una aprendiz de bruja con máscara de zorra, término con el que se designa a las prostitutas, sentada a hombros de un hombre-macho cabrío (un demonio) y con los ojos clavados en un libro que sujetan con pinzas otros dos personajes caricaturescos: dos brujas ya cualificadas, que, vestidas como obispos y sentadas en un altar, ofrecen a la nueva candidata su libro santo, una especie de manual de brujería, en el que podrá aprender todos sus deberes y sobre el que deberá jurar fidelidad y obediencia. A sus pies yace la cabeza de un muerto. Pero ¿se trata en este caso de brujas imaginarias o de deseos que todo el mundo conoce?

Esta última hipótesis se ve reforzada cuando observamos la segunda imagen de brujas del mismo álbum (GW 417), y todavía más un dibujo de esa época con la misma temática, llamado *Proclamación de brujas* (GW 626, **fig. 5**). Vemos una cabeza masculina gigante cuya boca abierta recibe los excrementos de otro personaje, un brujo, que se dispone a soplar entre las nalgas de un niño, como si fuera un instrumento de viento. El grabado relacionado con este dibujo, el *Capricho 69* (GW 589), también contiene una escena de pedofilia.

En primer plano, un brujo hace lo mismo, pero habiendo invertido la posición de su «instrumento», ya que sopla en la boca de un niño, al que le sale el aire por las nalgas. La idea de los «niños-fuelle» procede de los tratados de brujería, pero aquí se ha convertido en el punto de partida de una inmersión en los fantasmas del pintor. El mundo de la magia ya no es más que una excusa, y esta visión parece adentrarse más en un imaginario personal que en los grimorios. Observamos también que la técnica del dibujo ha cambiado, que la luz es más contrastada y que las líneas precisas han quedado sustituidas por lavados.

Poco tiempo después, a principios de 1798, las brujas pasan de los dibujos a los cuadros. Burlarse de las supersticiones del pueblo está de moda entre los ilustrados. Los duques de Osuna, que forman parte de ellos, compran a Goya seis cuadros de este tipo, que describen en su registro como «asuntos de Brujas que ha hecho para mi casa de campo». Se los entregan en junio de 1798. El mundo de la brujería recupera aquí el modo de representación que habían inaugurado los cuadros de 1793.

Varias telas de este grupo se inspiran en obras de teatro de la época (la representación de un hecho sigue siendo más fiable y más elocuente que el hecho en sí), como sucede con *El convidado de piedra* (GW 664) y *La lámpara descomunal* (GW 663, **il. 8**). En la obra de Zamora en la que se inspira este último cuadro, *El hechizado por fuerza*, el personaje principal es un cura supersticioso que cree ser objeto de un maleficio, y para seguir con vida debe mantener la llama de una lámpara del diablo, una lámpara descomunal, como indican las palabras inscritas en la esquina del cuadro («Lam. desco.»). El cura ocupa el centro del cuadro, rodeado por visiones de pesadilla: el diablo cornudo ante él, que sujeta la lámpara, y al otro lado tres asnos-demonios caminando con las dos patas traseras. El color invade todo el cuadro y desborda los límites de los seres y de los objetos, como en las telas de 1793, por ejemplo *El corral de locos* (**il. 6**). Ahora se trata de un degradado de rojos y marrones. El cuadro representa el terror angustiado del personaje principal. Poco importa si los seres demoniacos que lo rodean existen realmente o si son sólo fruto de su imaginación. Lo importante es que cree en ellos, porque su angustia sí es totalmente real.

El aquelarre (o *El gran Cabrón*, GW 660) representa al gran macho cabrío (el diablo) rodeado de un grupo de brujas que le han llevado a niños para que los sacrifique. Tanto en España como en otros países, la

Fig. 4. *Brujas a bolar.*

Fig. 5. *Proclamación de brujas.*

mortalidad infantil en esa época es muy elevada, lo que incita a buscar una razón externa que explique esa desgracia. ¿Quiénes mejor que el diablo y sus acólitos podrían ser los responsables? También podemos pensar que la frecuente representación en la obra de Goya de niños robados y sacrificados por las brujas tiene que ver con la muerte de sus hijos recién nacidos, como mínimo seis. *Vuelo de brujos* (GW 659) muestra a tres brujos (también hombres) que atraviesan la oscuridad de la noche llevando por los aires el cuerpo desnudo de una víctima, a la que muerden. Dos testigos presencian la escena espantados, aunque intentan no verla: uno se tapa los ojos, y el otro se cubre la cabeza con una tela. Estos atléticos demonios parecen perfectamente reales y nada tienen de fantasmagóricos.

En otros cuadros bastante inquietantes las imágenes son menos convencionales, como *La cocina de los brujos* (GW 662), en el que vemos a cuatro personajes medio humanos, medio animales, en torno a un plato, y *El conjuro* (GW 661, **il. 9**). A la derecha de este último cuadro vemos a un hombre aterrorizado. A juzgar por el camisón que lleva puesto, está soñando, pero evidentemente no lo sabe. Está casi desnudo y se encuentra al aire libre, en un lugar no determinado, a la pálida luz de la luna. Una especie de brujo (no sabemos si hombre o mujer) cubierto con una tela amarilla tiende las manos hacia él intentando atraparlo, lo que explica el terror que vemos en su mirada. Además esta figura amenazante no está sola, sino que tras ella hay cuatro comparsas vestidas de negro. Todas ellas tienen en las manos un instrumento indispensable para sus actividades mágicas. La primera sujeta un cesto lleno de niños desnudos, la segunda lee fórmulas de un grimorio a la luz de una vela, la tercera clava agujas en una muñeca que sujeta en la mano y la cuarta bendice todo el ritual. Por encima de ellas flota un ángel-demonio con una tibia en cada mano y rodeado de aves nocturnas.

Las monstruosas caras de brujas que vemos en el cuadro habían aparecido por primera vez en la pintura de Goya diez años antes, en un cuadro que mostraba a *San Francisco de Borja* (boceto GW 244; cuadro GW 243, más convencional), destinado también, como los cuadros de brujería, al duque de Osuna. Se trata de fantasmas reunidos junto a la cama de un moribundo a los que intenta expulsar el santo, aunque al parecer no lo consigue. Por lo tanto, estos fantasmas estaban en la mente de Goya antes de su enfermedad, pero ahora pueden manifestarse sin reservas. Es como si la enfermedad lo incitase a prescindir algunas veces no sólo de sus oídos, sino también de sus ojos para mirar dentro de sí mismo.

Goya no es el primer artista, ni en Europa ni en España, que representa a seres y formas que no tienen existencia real. Desde la Edad Media encontramos en la decoración de las iglesias imágenes cuyo origen no se encuentra ni en los textos sagrados ni en la observación del mundo que nos rodea, sino que proceden de la imaginación de los escultores y los pintores. Esos monstruos, quimeras e híbridos, a menudo mezclas inexistentes de elementos perfectamente realistas, suelen tener una función didáctica. Representan, por ejemplo, los seres que pueblan el infierno, cuyos tormentos deben temer los humildes pecadores. Encarnan también los fantasmas o las pulsiones sádicas de los artistas y dan cuerpo a las ensoñaciones de los espectadores. Goya quizá conoció los cuadros de El Bosco –pintor de finales del siglo xv y principios del xvi, por entonces ya muy conocido y del que varios cuadros estaban en España–, que muestran a seres heterogéneos, con cabeza de hombre y cuerpo de insecto, o de lagarto, o de arbusto, incluso de casa. Las visiones del infierno de El Bosco, que encontramos en varios trípticos suyos (*El Juicio Final*, *El jardín de las delicias*, *El carro de heno*) y en *Las tentaciones de San Antonio*, representan también a muchos personajes producto de la imaginación del pintor.

Comparar imágenes que se inscriben dentro de esta tradición con las visiones de Goya nos permite delimitar mejor la originalidad de estas últimas. Los monstruos de El Bosco, al menos para el espectador del siglo xviii, no viven en el mundo humano, sino en otro universo imaginario. Su creación parece obedecer a operaciones racionales y controladas, como cuando el pintor representa una casa a orillas de un lago cuya planta superior se ha convertido en la cara de un hombre. Por esta razón las imágenes suscitan más asombro o curiosidad que inquietud. Las de Goya son de naturaleza muy diferente, ya que la mayor parte de las veces muestran a seres que habitan nuestra realidad, pero cuyos rasgos se han deformado hasta el punto de convertirse en espantosos. No proceden de otro mundo gobernado por sus propias leyes, sino que nos son conocidos, incluso son otra versión de nosotros mismos. Retomando una frase de Malraux: «El Bosco introduce a los hombres en su universo infernal, pero Goya introduce lo infernal en el universo humano».[6]

Por lo demás, nunca estamos seguros de que existan en el mundo exterior. *La lámpara descomunal* nos los muestra –quizá– como fruto de la imaginación supersticiosa y febril del cura. *El conjuro* sugiere –aunque no lo afirma claramente– que esos monstruos son producto de una pesadilla. No nos queda más remedio que dudar entre una explicación que no transgrede las leyes naturales –es un sueño, una fantasmagoría– y otra que recurre a lo sobrenatural –son monstruos y demonios. Esto se corresponde con el surgimiento, en esos mismos años, finales del siglo XVIII, años en que el pensamiento racional avanza a gran velocidad, de una literatura que aborda lo *fantástico*, ya no lo *maravilloso*, las interferencias en la frontera entre lo real y lo irreal, no el situarse tranquilamente en lo irreal, como en los cuentos de hadas y las leyendas. Los personajes nocturnos de Goya inquietan precisamente porque no son muy diferentes de nosotros.

En este contexto merece la pena recordar a un autor de relatos fantásticos, porque observamos gran cantidad de resonancias entre su destino o su obra y las imágenes de Goya. Se trata del conde polaco Jan Potocki, nacido en 1761, gran viajero, político, historiador y políglota. Vivió, entre otros lugares, en Alemania, donde conoció a Herder y Goethe, y en Francia, donde entabló amistad con Cazotte, autor de un relato fantástico, y con Germaine de Staël, próxima a los círculos enciclopedistas. En marzo de 1791 Potocki llega a España con el embajador de Polonia. En Madrid frecuenta la corte (no sabemos si coincide con Goya) y conoce al embajador de Marruecos, que al parecer le cuenta «largos relatos al gusto oriental». En 1794 empieza a escribir, en francés, una gran novela titulada *El manuscrito encontrado en Zaragoza*, que interrumpe unos años después. Lo retoma más adelante, primero en 1804 y por último en 1810. Termina la versión definitiva en 1815. Unos meses después Potocki se suicida de manera especialmente teatral: lima el asa de un azucarero de plata y la introduce en el cañón de su pistola. No deja ningún mensaje explicando su gesto, pero junto a su cadáver se encuentra una hoja con «varias caricaturas fantásticas».

La novela narra las aventuras españolas, y en parte «orientales», del joven militar Alfonso (el prólogo cuenta el descubrimiento del manuscrito en Zaragoza en la época en que el ejército napoleónico sitia la ciudad, momento en que Goya la visita). Todo el principio del libro puede considerarse la evocación de un mundo que podrían ilustrar las imágenes fantásticas de Goya. Durante sus peregrinaciones a Sierra Morena, Alfonso tropieza con todos los personajes que poblarán el universo del pintor entre 1795 y 1815: contrabandistas, bandidos y gitanos, pero también curas, inquisidores y militares. Se encontrará también con prisioneros, cadáveres y ahorcados. Sus aventuras le llevan a menudo a sospechar la presencia de seres sobrenaturales, como demonios, resucitados y vampiros, cuando no el propio diablo. Cuando leemos que «el fantasma abrió una boca tan grande que la cara pareció dividirse en dos», ¿no nos parece ver una imagen de Goya? Otras veces, los seres con los que se encuentra Alfonso son jóvenes seductoras, pero nunca está seguro de quiénes son: «Ya no sabía si estaba con mujeres o con insidiosos súcubos». Y con razón. Tras haberse quedado dormido en los brazos de dos bellezas que lo acarician, se despierta al pie de una horca con dos ahorcados entre sus brazos. Como el personaje de *El conjuro* (**il. 9**), no sabe si está soñando o si se trata realmente de seres sobrenaturales. ¿Son, como dice el inquisidor que lo amenaza con torturarlo, «dos princesas de Túnez, o dos brujas infames, dos abominables vampiros, dos demonios encarnados»?[7]

Al final del libro, tras gran cantidad de relatos picarescos intercalados, Alfonso –y el lector– descubrirá que no había intervenido ninguna presencia sobrenatural. Todos esos extraños acontecimientos pretendían poner a prueba el valor del protagonista. Las apariciones maravillosas eran escenificaciones, manipulaciones y falsedades. Los desplazamientos nocturnos de Alfonso se explican por la utilización de somníferos. Como Goya, Potocki es un defensor de la Ilustración y de la razón, pero también él sabe que los fantasmas humanos que se expresan a través de las supersticiones son muy reales, y que las fronteras entre locura y razón, entre apariencia y realidad, son porosas.

Cuando las imágenes de Goya llegan a Francia, a mediados del siglo XIX, observadores atentos, como Théophile Gautier (autor de relatos fantásticos) y Baudelaire, las describen como ejemplos del género fantástico. Baudelaire describe así a Goya: «La mirada que lanza sobre las cosas es un traductor de naturaleza fantástica», es decir, se trata de una mirada sobre el mundo real, pero que a la vez pone de manifiesto («traduce») dimensiones insospechadas. Esta «atmósfera fantástica que impregna todos sus temas» permite a Goya mostrar la verdad de nuestro mundo moderno, «terrores de la naturaleza y rostros extrañamente animalizados por las circunstancias». Baudelaire insiste en esta proximidad entre los seres imaginarios de Goya y los que nos encontramos en el mundo diario: «El gran mérito de Goya consiste en hacer que lo monstruoso resulte verosímil. Sus monstruos son viables y armónicos [...] Todas esas contorsiones, esas caras terribles, esas muecas diabólicas están llenas de humanidad». Baudelaire en ningún caso se deja engañar por el exotismo de las imágenes, que no nos hablan de otro mundo, sino que representan lo que el nuestro esconde. Por ejemplo, «viejas sempiternas lavan y preparan» a bellas jóvenes «ya sea para el sabbat, ya para que se prostituyan esa noche, el sabbat de la civilización».[8] Los dibujos y cuadros de Goya se prestan pues a dos lecturas. Su objetivo declarado es burlarse de las supersticiones, pero su mensaje indirecto es mostrar nuestros terrores secretos, las visiones que proceden de las profundidades de nuestra mente. En una época en la que la Ilustración parece ganar terreno a diario, la posición del pintor (como señala Werner Hofmann en un ensayo sobre El Bosco y Goya) se hace más bien eco de la de un personaje de Shakespeare, Lafeu,[9] que se pregunta si no nos equivocamos al extasiarnos ante lo que nos parece el triunfo de la razón, mientras que las antiguas supersticiones, ahora eliminadas, nos mostraban de forma disfrazada nuestras profundidades inconscientes: «Hence it is that we make trifles of terrors, ensconcing ourselves into seeming knowledge, when we should submit ourselves to an unknown fear» (Eso es lo que hace que consideremos pueriles nuestros terrores y nos atrincheremos en un presunto saber, en lugar de someternos a un miedo desconocido). Goya recupera el sentido oculto de las antiguas imágenes.

Así es la segunda etapa de la transformación de Goya, entre 1792 y 1798, gracias a la cual el autor de los cartones que mostraban festejos populares se convierte en el autor de los *Caprichos*. La primera, consecuencia de su sordera, cambia radicalmente su manera de pintar, ya que introduce la mirada subjetiva en el mundo objetivo. La segunda, quizá consecuencia de su desventura sentimental, lo anima a alejarse del mundo exterior y a explorar su propia imaginación. Al hacerlo, descubre que las máscaras y las caricaturas permiten visualizarla mejor que representando fielmente lo real. Además se da cuenta de que las supersticiones populares, las que pueblan el universo de brujas, resucitados y demonios, dan forma a esos mismos fantasmas inconscientes. En ese momento coincide con los intentos ilustrados de combatir el oscurantismo, y por lo tanto también la creencia en las brujas. En este sentido, la coincidencia se apoya en un malentendido, aunque se trata de un malentendido fecundo, ya que Goya aprovechará las investigaciones de los ilustrados sobre las supersticiones.

La evolución interna de Goya podría presentarse como una ilustración elocuente de lo que Hegel creía que era el sentido de la historia del arte occidental. En su *Estética* explica que, concluido el periodo *clásico*, que para el filósofo alemán corresponde a la escultura griega, los hombres dejan de confiar en las formas naturales que observan a su alrededor, y el espíritu «se retira del exterior y se vuelca en sí mismo». El artista ya no pretende reproducir la belleza de la naturaleza, sino que explora y expresa su vida interior. «El alma no deja de hurgar en las profundidades más íntimas.» Esta etapa del arte, que Hegel llama *romántica*, conduce al arte moderno, el de su tiempo –que es también el de Goya–, en el que no pesa ya la menor coacción sobre los objetos a representar, ni sobre la manera de representarlos, porque ahora todo depende de la «invención personal».[10] Hegel, que imparte sus clases de estética a partir de 1818, no sabe nada de Goya, pero, para ser un filósofo, tiene un gran conocimiento de las grandes corrientes artísticas, lo que le permite identificar algunas tendencias de fondo. Cuando Ortega y Gasset, más de cien años después, describe la evolución de la pintura occidental como el desplazamiento de la atención del mundo-objeto al pintor-sujeto, se limita a resumir una de las ideas principales de la *Estética* de Hegel. En cuanto a Goya, parece haber concentrado en su propia vida un movimiento que, según los filósofos, tardó siglos en producirse.

Interpretación de los *Caprichos*

Goya publica los *Caprichos*, su primera gran serie de grabados con leyendas (ochenta en total), en febrero de 1799. Lo más probable es que los grabara en 1797 y primera mitad de 1798, en la época en que pinta los cuadros de brujería. Prepara los grabados con dibujos, que a su vez se inspiran en buena medida en los del álbum de Madrid (llamado «B»). En un primer momento el artista parece que tiene en mente realizar una serie titulada *Sueños*, título que probablemente toma prestado de la historia de la literatura. En el siglo XVII Quevedo había titulado sus ensayos satíricos *Sueños*, una manera de evitar los posibles golpes de la censura, pero también de aventurarse en territorios poco explorados.

En los dibujos de Goya estos «sueños» (hemos encontrado veintiséis) están numerados, y la numeración responde a clasificaciones temáticas fácilmente identificables. Tras la primera imagen (que se convertirá en el *Capricho 43*) se suceden nueve representaciones de brujos y brujas, a continuación una docena dedicada al comercio amoroso, y por último varias caricaturas. Sin embargo, Goya abandona este primer proyecto, y cuando sustituye el primer título por el de *Caprichos*, cambia también totalmente el orden de presentación de los grabados. Las diferentes series anteriores no se conservan tal cual, sino que se mezclan entre sí, pero el orden final en absoluto es arbitrario.

La palabra *caprichos*, entendida en el sentido de libertad respecto de las formas visibles de los seres, y por lo tanto de derecho a la invención, engloba todos los términos anteriores: *máscaras*, *caricaturas* y *sueños*. El término se había utilizado ya en este sentido en el pasado. Giambattista Tiepolo, entonces en la cima de su gloria y trabajando para la corte de España, había publicado series tituladas *Vari capricci* y *Scherzi di fantasia* (algo después, su hijo Giandomenico Tiepolo se llevará con él a Italia un ejemplar completo de los *Caprichos* de Goya).

Piranesi, cuyos grabados Goya conoce, es autor de una serie titulada *Invenzioni capricci di carceri*, que muestra cárceles, un tema que Goya hace suyo en ese momento. En el siglo anterior, en 1617, Jacques Callot había publicado una serie de cincuenta pequeños grabados titulada *Caprices*.

Cuando los *Caprichos* se ponen en venta, el 6 de febrero de 1799, aparece un anuncio en el *Diario de Madrid*, con toda probabilidad directamente inspirado por Goya y redactado por uno de sus amigos literatos, como Moratín. Podemos pues considerarlo un tercer texto «teórico» del pintor, tras el informe de octubre de 1792 y la carta a Iriarte de enero de 1794. En él se desarrollan varias ideas.

El anuncio afirma en primer lugar que los asuntos de esas imágenes son «la multitud de extravagancias y desaciertos que son comunes en toda sociedad civil» y las «preocupaciones y embustes vulgares, autorizados por la costumbre, la ignorancia y el interés», mientras que el objetivo del autor es «la censura de los errores y vicios humanos». Precisa que los vicios en cuestión, y por lo tanto los personajes representados, no corresponden a individuos, sino a tipos sociales obtenidos mediante la combinación de varios modelos. En este sentido, no son imágenes copiadas del mundo real, sino invenciones, que por lo demás es como procede la pintura en general. El pintor mezcla siempre la invención con la observación, y por eso merece «el título de inventor y no de copiante servil». Encontramos pues aquí el programa de la Ilustración tal y como lo defienden los amigos ilustrados de Goya (luchar contra los vicios y las supersticiones). Se mantiene fiel a ese programa pese a los inquietantes rumores que llegan a España sobre lo acontecido en Francia (el Terror y el regicidio), que los enemigos de la Ilustración presentan como inevitables consecuencias. Reconocemos también la concepción de la pintura que reivindicaba Goya en su informe a la Academia: el pintor no imita a las criaturas, sino al Creador. El anuncio se ajusta a las ideas de su tiempo, ya que afirma que el pintor pretende representar una construcción mental, no lo que ven sus ojos. Y Goya se somete también a cierta exigencia, puesto que elimina de la serie definitiva los grabados en los que se podía identificar a los modelos (entre ellos la duquesa de Alba, como hemos visto), con una excepción, su autorretrato, que encabeza el volumen.

Sin embargo, el anuncio da una inflexión original a este conjunto de ideas generales. El objetivo de Goya no es adaptarse a una belleza ideal, como quiere la estética neoclásica (representada, por ejemplo, por Mengs), sino alcanzar la verdad que se esconde en los seres a los que representa. La oposición entre ideal y real queda abolida. A Goya no le preocupa lo bello. Lo que quiere transformar es la imitación. No se trata sólo de que decida representar tipos en lugar de individuos. Lo más importante es que no quiere mostrar lo visible, sino lo invisible, y en este sentido, como expresa el anuncio sin falsa modestia, su proyecto es único, «el autor no ha seguido los ejemplos de otro». El cambio es importante: «La mayor parte de los objetos que en esta obra se representan son ideales», y por lo tanto el pintor, «apartándose enteramente» de la naturaleza visible, se ha fijado otro objetivo: intentar «exponer a los ojos formas y actitudes que sólo han existido hasta ahora en la mente humana, oscurecida y confusa por la falta de ilustración o acalorada por el desenfreno de las pasiones».[11]

Esta declaración es sin duda revolucionaria, ya que ahora el pintor intentará representar lo imaginario, no lo visible. Descartar lo visible adopta aquí un sentido muy diferente del que tenía en la tradición teológica cristiana. Tomás de Kempis aconsejaba a los hombres en la *Imitación de Cristo*: «Procura, pues, desviar tu corazón de lo visible y traspasarlo a lo invisible».[12] El monje del siglo xv quería que los hombres apartaran su mirada de la naturaleza y de sus obras, y que contemplaran sólo la gracia, que se alejaran del mundo terrenal y se acercaran al reino de los cielos. Por el contrario, Goya quiere arrastrar lo invisible hasta el mundo de lo visible, dar forma a los fantasmas que pueblan la mente humana. Estos fantasmas proceden no sólo de las supersticiones del pueblo llano y de los curas retrógrados, sino también de las pasiones humanas, que todos comparten y que constituyen una parte inextirpable del hombre. Nadie puede pretender que el avance de la Ilustración lo ha liberado de toda pasión. Lo imaginario no es lo contrario de lo real, sino la mejor vía para acceder a lo real.

Desde el principio Goya es perfectamente consciente de que los *Caprichos* muestran cierta dualidad: suponen una sátira deliberada de las ridiculeces de su tiempo y a la vez una inmersión en el inconsciente del autor, pero también de sus espectadores. No debe tomarse el término en el sentido freudiano que le damos en la actualidad, sino en el que tenía ya en esa época en otras lenguas, más general. Una famosa carta de Schiller a Goethe, del 27 de marzo de 1801, insiste en el hecho de que el verdadero artista debe partir siempre de un impulso inconsciente, aunque después lo someta a un trabajo consciente: «El único punto de partida que adopta el poeta es lo inconsciente [...] La poesía, si no me equivoco, consiste precisamente en saber expresar y comunicar ese inconsciente [...] Lo inconsciente junto con lo pensado constituyen al artista poético». Goethe abunda en el mismo sentido en su respuesta: «Considero que todo lo que el genio hace en cuanto genio sucede en la inconsciencia».[13] Es imposible reducir los *Caprichos*, como suele interpretarse hoy en día, a una simple crítica de las supersticiones y taras sociales en conformidad con el programa de los ilustrados. Los dos elementos –crítica lúcida de las costumbres y sacar a la luz los abismos ocultos en lo más profundo de las personas– se combinan en todo momento. Las brujas y los diversos seres sobrenaturales se muestran de manera realista, mientras que los individuos humanos se convierten en fantasmas.

El *Capricho* más famoso es probablemente el que en la actualidad lleva el número 43. El grabado consta de una leyenda que escribió el propio Goya en la imagen (cosa que no hace en ninguna otra parte), y que dice: «El sueño de la razón produce monstruos» (GW 536). La palabra *sueño* tiene dos significados –'dormir' y 'soñar'–, lo que permite que la frase se interprete de dos maneras. Si significa 'dormir', entendemos que cuando la razón se queda dormida, los monstruos nocturnos asoman la cabeza, y por lo tanto es preferible que se despierte para apartarlos. Los monstruos son externos a la razón, de modo que nos mantenemos en un proyecto educativo. Pero si la palabra significa 'soñar', entonces es la propia razón la que produce esos monstruos cuando funciona en régimen nocturno. Aquí está mucho menos claro que se condene a esos personajes, puesto que la razón produce ideas claras, pero también pesadillas, y el pintor se propone ampliar el ámbito de conocimiento mostrándonos el contenido de esas pesadillas. La razón está ausente cuando duerme, porque se dedica a soñar. Sin embargo, el sentido que adquirió la palabra en los dibujos anteriores de Goya titulados *Sueños* alude sin duda a soñar, no a dormir.

Se mantienen los objetivos de la Ilustración, pero se deja de lado la concepción antropológica subyacente, al menos en su versión popular. Goya da por supuesto que es inconcebible eliminar las pasiones y lo que éstas crean, de modo que merece la pena intentar conocerlas. El proyecto ya no es destruir las supersticiones y los fantasmas, sino entenderlos, y por consiguiente domesticarlos. Cuando lo consigue, estas visiones ya no dan miedo, sino risa. Vemos confirmada esta inflexión que da al programa inicial en varios comentarios de la época que creemos que escribieron amigos del pintor que tomaron nota de sus explicaciones de los grabados. Estos comentarios de los *Caprichos* se designan por el lugar donde se conservaron, es decir, el «manuscrito del Prado» y el «manuscrito de la Biblioteca Nacional de Madrid». En el manuscrito del Prado leemos el siguiente comentario: «La fantasía abandonada de la razón produce monstruos imposibles: unida con ella es madre de las artes y origen de las maravillas».

El título de otro dibujo preparatorio (GW 623), muy cambiado en el grabado correspondiente (*Capricho 50*, GW 551), sugiere una interpretación parecida: *La enfermedad de la razón*. Este estado es deplorable, pero procede de uno de los registros de la actividad racional, porque una razón enferma sigue siendo una razón. Tanto los filósofos racionalistas, a los que fustiga el personaje de Shakespeare, como los defensores de lo irracional, que se multiplicarán en las décadas siguientes, se sitúan en la misma posición, ya que eligen uno de los términos en detrimento del otro. Pero Goya une la razón y la imaginación, la reflexión y lo inconsciente, que para él en absoluto son incompatibles. Es precisamente esta combinación la que define el conocimiento concreto al que conducen las artes, diferente del de las ciencias. Desde este punto de vista, los *Caprichos* aportan un enriquecimiento decisivo a la doctrina de la Ilustración, sin renegar de ella.

El grabado muestra a un hombre dormido encima de una mesa, rodeado de aves nocturnas, murciélagos y búhos, y de un gran gato, en aquel momento símbolos frecuentes de la estupidez y de la ignorancia, cuando no del diablo. Observamos además las mismas encarnaciones de las fuerzas negativas en el boceto de la misma época de una alegoría que titulamos *La Verdad, el Tiempo y la Historia* (GW 696), en el que los dignos personajes que representan estas abstracciones son asaltados por una bandada de búhos y murciélagos, pero al mismo tiempo los protege un gran foco de luz. En el grabado, a los animales nocturnos se suma un lince, animal famoso por su aguda visión. La ceguera y la visión aguda siempre coexisten.

Goya había preparado este grabado con dos dibujos. Uno de ellos lleva por título *Sueño 1* (GW 537), lo que indica que debía colocarse en cabeza de la serie de los *Sueños*. El lince está ya ahí, y los pájaros son bastante diferentes. Uno de ellos es inmenso y terrorífico. La esquina superior izquierda de la lámina está vacía, y también el texto de la leyenda es diferente. Debajo de la mesa en la que se apoya el hombre leemos: «Idioma universal. Dibujado y grabado por Francisco de Goya. Año 1797». Más abajo, fuera del dibujo, el texto sigue diciendo: «El Autor soñando. Su yntento solo es desterrar bulgaridades perjudiciales, y perpetuar con esta obra de caprichos, el testimonio sólido de la verdad».

En algunos sentidos estas frases de 1797 preparan el anuncio publicado en 1799, en el que se afirma claramente el proyecto de la Ilustración: la razón y la verdad alejan las vulgares supersticiones y al mismo tiempo se adentran en el camino concreto de las artes, el de los «caprichos e invenciones». Ambos elementos están unidos. El comentario de la Biblioteca Nacional explica al respecto: «Cuando los hombres no oyen el grito de la razón, todo se vuelve visiones». El «idioma universal» puede ser el de las imágenes. Goya quiere corregir también a los que no saben leer. Por último se especifica que el hombre dormido es el pintor, el propio Goya. Y el término *sueño* mantiene su ambigüedad.

Este dibujo está precedido por uno (GW 538, **fig. 6**) en el que otros seres asaltan al hombre dormido. Las aves nocturnas y el lince están ya presentes, pero de forma mucho menos precisa. Por encima de ellos vemos las pezuñas de un asno, y a su lado un perro, pero sobre todo una cara repetida muchas veces, que no es otra que la de Goya. Algunas imágenes lo muestran tranquilo, y otras lo representan haciendo muecas. Estas caras ocupan la parte superior izquierda de la lámina, precisamente la que quedará vacía en el dibujo siguiente. Este dibujo, el primero de la serie, sugiere que los «monstruos» de los que habla la leyenda del grabado no sólo proceden de la mente del autor, sino que adoptan la forma de sus diferentes gestos y poses. No son los demás, personas incultas, los que son presa de fantasmas y brujas, rostros que atribuimos a nuestras pasiones, sino el propio pintor y (quizá) sus espectadores. Además, el rostro de estos fantasmas nos resulta familiar, porque es el de todos nosotros. Queda abolida toda separación estanca entre nosotros, los ilustrados, y el mundo de las tinieblas, entre el régimen diurno de la

Fig. 6. *El sueño de la razón.*

consciencia y el nocturno de las pasiones inconscientes. Pero a Goya esta imagen debía de parecerle demasiado clara, una imagen que proporcionaba una explicación excesivamente nítida de los *Caprichos*, de modo que en la siguiente versión del dibujo y en el grabado deja un gran espacio vacío en el lugar en el que aparecía su rostro angustiado.

Comparemos estos dibujos (y este grabado) de Goya con un famoso dibujo de Miguel Ángel, al que suele aludirse con el mismo término, *El sueño* (**fig. 7**), de hacia 1533.

El hombre, desnudo y parecido al Adán del *Juicio Final*, está sentado en una caja que contiene máscaras y se apoya en un globo que representa la Tierra. Está rodeado por otras figuras desnudas, en las que se han identificado seis de los siete pecados capitales (falta el Orgullo, origen de todos los demás), todos ellos dotados de apariencia fantasmagórica. El hombre, que no está dormido, gira la mirada hacia una figura que vuela por encima de él y que le insufla el espíritu por medio de un tubo. La interpretación habitual de esta figura alada la considera una encarnación de la Gloria. Aspirar a ella permite mantener a distancia los amenazadores pecados y alejar las máscaras, símbolo de las ilusiones engañosas.

Esta lección, más próxima a la mentalidad antigua que a la del cristianismo, se diferencia en varios aspectos de la que sugiere Goya. De entrada es significativo que Miguel Ángel represente al hombre en general, al hombre universal, cuya desnudez lo aparta de toda situación concreta y lo hace intemporal, mientras que Goya se muestra a sí mismo en su singularidad. El individuo que pertenece a un momento de la historia, a un único lugar, ha sustituido a la abstracción alegórica, y al mismo tiempo la visión subjetiva se ha introducido en el mundo objetivo. En el pintor italiano, este personaje central está amenazado por fuerzas del mal que existen fuera de él, los pecados, mientras que a Goya lo amenazan quimeras que crea su propia mente. El peligro ya no procede del exterior, sino de dentro. En Goya, a diferencia de Miguel Ángel, el cielo no puede ofrecer la menor ayuda. Por encima del hombre dormido sólo hay fantasmas nocturnos. Las máscaras, rechazadas y apartadas en el dibujo antiguo, ya no aparecen separadas del rostro desnudo por una frontera clara. Goya da a su propio rostro la apariencia de máscara, y es precisamente esa máscara la que le permite verse mejor, y por lo tanto acercarse a la verdad de la condición humana. Entre los dos

Fig. 7. Miguel Ángel, *El sueño*.

dibujos se abre una brecha, la que separa el mundo antiguo de la modernidad.

Goya no mantendrá este *Sueño* en cabeza de la obra, sino que colocará el grabado correspondiente en el medio, con el número 43. La interpretación de conjunto cambia. Al principio de la serie está ahora otro autorretrato de Goya (*Capricho 1*, GW 451), que, en lugar de estar dominado por visiones nocturnas, es dueño de sí mismo y del mundo que lo rodea. Lleva sombrero y ropa de calle, y lanza una mirada fría a lo que lo rodea. El comentario de la Biblioteca de Madrid lo describe así: «Verdadero retrato suyo, de mal humor, y gesto satírico». Este personaje se sitúa claramente de parte de la razón y de la Ilustración, y a través de él Goya toma distancias respecto de lo que representa. El centro de gravedad de la serie queda desplazado, y las imágenes satíricas de intención social se multiplican. El *Capricho 43* va a continuación, encabezando las representaciones de brujas y otros seres fantasmagóricos de la segunda mitad de la serie.

Estos dos grabados, los *Caprichos 1* y *43*, ilustran pues las dos interpretaciones, bastante diferentes, que ofrece el autor de sus imágenes. El pintor sujeto por cuatro pinzas simboliza el reino de la razón, que permite fustigar las taras de la sociedad; el pintor dormido, invadido por sus visiones nocturnas, representa la impotencia de dominar lo que procede de su propia mente. El que concibe o imagina las visiones es el hombre que sueña del *Capricho 43*; el que las ordena y comenta para ofrecerlas al público es el Francisco de Goya del *Capricho 1*. Ninguno de los dos puede prescindir del otro. Los *Caprichos* son el resultado de su colaboración.

Otras leyendas de dibujos y otros textos que los acompañan ofrecen también indicios para interpretar la serie. El *Capricho 6* (GW 461) lleva por leyenda: «Nadie se conoce». El manuscrito del Prado añade: «El mundo es una máscara, el rostro, el traje y la voz todo es fingido; todos quieren aparentar lo que no son, todos se engañan y nadie se conoce». Tenemos la impresión de estar leyendo a La Rochefoucauld o a otros autores jansenistas del siglo XVII, aunque en realidad el mensaje de Goya es algo diferente: lo que engaña es el rostro que todos se crean en el mundo. Por el contrario, las máscaras que Goya utiliza, que convierten a los hombres en burros o en monos, muestran su verdadera naturaleza. El dibujo *La enfermedad de la razón*, ya citado, lleva esta leyenda inacabada: «Pesadilla soñando

que no me podía despertar ni desenrredar de la nobleza en donde...».
Es elocuente que utilice la primera persona del singular. Sin duda
Goya nos habla de sus propios sueños, pero no da cuenta de ellos
directamente, porque resultarían demasiado caóticos. Su dibujo es la
reconstrucción que hace al despertarse.

El último *Capricho*, el número 80 (GW 613), recibe este comentario en el manuscrito del Prado: «Luego que amanece huyen, cada
cual para su lado, Brujas, Duendes, visiones y fantasmas. ¡Buena cosa es que esta gente no se deje ver sino de noche y a oscuras!
Nadie ha podido averiguar en dónde se encierran y ocultan durante
el día». Pero aquí Goya se hace el modesto, ya que en realidad
sabe cuál es la clave de este enigma: se esconden en lo más profundo
de nosotros mismos, porque son nuestros propios demonios. El
mundo se estructura en categorías claramente opuestas: salud/enfer-
medad, razón/locura, día/noche, luz/tinieblas. Pero Goya muestra
en sus imágenes que ambas se comunican y que son inseparables.
La frontera que las separa es permeable. Tanto la razón como la
sinrazón son características humanas. Las supersticiones de las personas sencillas e ignorantes, que creen en brujas y en fantasmas,
invaden los sueños de los ilustrados, como Goya y sus amigos. Lo
sobrenatural ya no vive en el campo o en el bosque, sino dentro de
nuestra cabeza. De repente es perfectamente explicable. Así, Goya
abandona el marco tranquilizador en el que se sitúan los ilustrados, y que les permite reprender a los demás, y se coloca con las personas corrientes, cuya mente se ve invadida por estas imágenes
inquietantes.

El desorden, el caos y el carnaval ofrecen una imagen visible de
lo que conforma nuestra mente. En una carta a Zapater de 1785 encontramos un raro ejemplo de los meandros por los que la imaginación de Goya puede conducirlo. Entre frases perfectamente ano-
dinas leemos lo siguiente: «Bueno era tu quartito con el chocolate
arrosconado, pero sin libertad y no libre de barios ynsectos con yns-
trumentos mortificadores de garfios y nabajas, que una bez al descuido y otra al cuidado lo lebantaban a uno la carne y el pelo en alto,
y no solamente arañan y pelean, sino que muerden y escupen, pi-
can y atrabiesan; de estos se alimentan otros más gordos, que son
peores» (19 de febrero de 1785). ¿No nos da la impresión de haber-
nos sumergido de pronto en un cuadro de El Bosco o, en fechas
más cercanas a nosotros, en un relato de Kafka? Con estas frases

Goya se refiere quizá a las molestias que le causan las personas a las que tiene que frecuentar en la corte, ante todo los demás pintores, los críticos, los «expertos» («barios ynsectos»), pero también los cortesanos, nobles y religiosos («otros más gordos»), tan ignorantes y envidiosos unos como los otros. Pero lo que sobre todo llama la atención es la fuerza evocadora de estas frases, que ponen de manifiesto que Goya sabe expresar en palabras lo que suele confiar a sus imágenes.

No podemos decir que Goya deseara facilitar la interpretación de sus *Caprichos*. En general, los dibujos preparatorios llevan leyendas más explícitas que las que acompañan a los grabados, irónicas y paradójicas. Parece como si hubiera decidido deliberadamente nublar el sentido de su mensaje, hacerlo más ambiguo de lo que era al principio. Pongamos un ejemplo que han analizado otros comentaristas. La primera versión del *Capricho 13* es el dibujo ya citado (GW 423, fig. 3), *Caricatura alegre*, que representa a un grupo de frailes comiendo con gula, uno de ellos con un pene gigante en lugar de nariz. La segunda versión del dibujo, que preparó para el grabado (GW 477), suprime la nariz y añade una leyenda que expresa con mayor claridad la intención satírica: «Sueño de unos hombres que se nos comían». La comida se convierte aquí en metafórica y ha desaparecido la alusión sexual, que queda sustituida por una referencia al contexto social: esos frailes que aseguran tomar el cuerpo y la sangre de Cristo durante la comunión en realidad se ceban explotando a la población a la que pretenden servir, prueba de ello es que un criado les lleva en una bandeja una cabeza humana para que se la coman. Por último, el grabado (GW 476) retoma esta segunda versión de la imagen (GW 477), pero añade la leyenda «Están calientes», que vuelve a tener connotaciones sexuales, aunque han desaparecido de la representación. Por lo demás, el comentario del Prado sólo alude a la comida. El resultado es que el sentido del grabado pasa a ser enigmático, mientras que el de los dibujos era transparente.

Volvemos a encontrar esa misma operación de oscurecimiento en otros casos. Si tenemos en cuenta todas las indicaciones textuales de la época −el anuncio de publicación, las leyendas incluidas en cada grabado, los dibujos preparatorios con sus propias leyendas, y los comentarios inspirados en Goya y transcritos en los manuscritos del Prado y de la Biblioteca Nacional−, es relativamente sencillo interpretar todas las imágenes, pero, evidentemente, no es el caso del espectador y el lector corrientes, a los que Goya ha preferido dejar en la ambigüedad y la indecisión, quizá para incitarlo a buscar el sentido *por* sí mismo, y por lo tanto también *en* sí mismo.

Fig. 8. «¿Dónde va mamá?», *Capricho 65*.

Hacer visible lo invisible

Los *Caprichos* suelen dividirse temáticamente en tres grandes grupos. El primero reúne las imágenes con clara intención satírica, que apuntan a vicios o malos hábitos y atacan las falsas reputaciones, la hipocresía generalizada, los engaños, la ignorancia, la estupidez del clero y la embriaguez. Está formado por unos veinticinco grabados. El segundo grupo trata de la comedia sexual, las relaciones entre hombres y mujeres, habitualmente interesadas, en las que los gestos convencionales apenas pueden ocultar el apetito sexual y la sed de riquezas. Los hombres son unas veces ingenuos y otras codiciosos, y las mujeres son a menudo pérfidas (la idea de «mentira e inconstancia» no queda lejos). Unos veintitrés grabados tratan este tema. Por último, el tercer grupo aborda las supersticiones, las brujas y los fantasmas, y está formado por veintiséis grabados. Quedan al margen de estos grupos los dos grabados que enmarcan la totalidad, números 1 y 43, y varias imágenes alegóricas que no aluden a ninguno de estos temas en concreto. Algunas veces las imágenes de cada grupo son consecutivas, aunque la mayoría de las veces están entremezcladas, otra prueba del hecho de que Goya no quería facilitar su interpretación.

Los tres grupos están en consonancia con el programa ilustrado de los amigos de Goya, que consiste en luchar contra la falta de educación, las supersticiones de la masa, el conservadurismo del clero, los abusos de la Inquisición y el parasitismo de los aristócratas, y en defender ideas que sus enemigos consideran importadas de Francia. Como prueba, la leyenda del *Capricho* 2 («El sí pronuncian y la mano alargan al primero que llega», GW 454) está tomada de un poema de Jovellanos. Goya reparte equitativamente las flechas que lanza. Los pobres no son mejores que los ricos, ni las mujeres que los hombres (el manuscrito del Prado comenta sobre el *Capricho* 6: «Donde quiera que los hombres sean perversos, las mujeres lo serán también»). Las personas corrientes no valen más que los que las oprimen. El

Capricho 24 (GW 499) muestra a una multitud que se alegra de ver a un hombre condenado por la Inquisición. Las risas son muecas, los rostros son caricaturas, y el pueblo no es más que populacho. La leyenda confirma la opinión desencantada del pintor: «No hubo remedio». Goya no imparte lecciones, se limita a constatar. No se coloca en una perspectiva didáctica. Sus grabados no parecen decir «no se debe actuar así», sino más bien «así es como se comportan los hombres y las mujeres».

Goya no reserva sistemáticamente ninguna categoría humana para representar las fuerzas del mal. Suele atacar a los frailes, a los que muestra como perezosos, hipócritas y codiciosos, aunque en otras ocasiones los representa de manera benevolente. Y no confunde anticlericalismo con ateísmo, fiel a la tradición general de la Ilustración. Se burla de los representantes de la Iglesia y de la Inquisición, pero no ataca la fe. Como otros ilustrados, critica la intromisión del clero en el mundo profano y desea que la Iglesia se separe del Estado (lo que los filósofos llaman «el fin de lo teológico-político»), pero no duda en pintar temas religiosos, y algunas imágenes suyas de Cristo y de los apóstoles dan muestras de verdadera emoción. Lo que sabemos de sus prácticas personales no permite concluir que rechace radicalmente la religión cristiana.

No obstante, a diferencia de los ilustrados, Goya no aborda la contrapartida positiva de esta crítica. Es –y será en adelante– mucho más sensible a los vicios y a las pasiones subterráneas que a las virtudes y a la tendencia a la felicidad. Las calamidades humanas suscitan más su curiosidad que su elocuencia educativa. Después de su enfermedad, y más aún después de romper con la duquesa de Alba, sus imágenes ofrecen una visión crítica de la humanidad. Los seres humanos a los que decide mostrar son o estúpidos (es decir, ignorantes, ingenuos y crédulos), o malvados (codiciosos, violentos y crueles), o feos, y en ocasiones las tres cosas a la vez. Hay excepciones, evidentemente, incluso en la parte no oficial de su obra. Encontramos dibujos que representan la maternidad (como GW 1251) y la paternidad (por ejemplo, GW 1252) de forma idílica, pero son escasos.

Sin embargo, la posición de Goya no es equivalente a la de los satíricos antiguos, que nada veían aparte de la miseria humana, ni a la de los nihilistas modernos, que enseñan a su rebaño que la vida no tiene ningún sentido y ningún valor. Las obras de Goya producen una impresión diferente. De entrada, no hay en él el menor tono profesoral o sentencioso. Acto seguido, incluso las imágenes más negativas no dan la impresión de que el objeto de las burlas sea radicalmente diferente del pintor. La familiaridad de sus apóstrofes y de sus descripciones subraya la proximidad entre ambos. ¿Deberíamos pues llegar a la conclusión de que el artista, no sólo sus cuadros, era un misántropo y un melancólico? Los demás documentos de que disponemos no confirman esta visión. Goya es un amigo fiel, un padre (y más tarde un abuelo) que vela ferozmente por los intereses de los suyos, y un hombre que no parece haber perdido cierta alegría de vivir. Quizá no siente gran estima por la humanidad, pero quiere a los individuos que lo rodean, como si la pintura hubiera absorbido sus rencores y hubiera liberado su vida cotidiana.

Algunas de estas representaciones son realistas, y otras contienen visiones fantásticas, pero no depende del tema. Goya puede deformar exageradamente a un personaje hasta la caricatura sin introducir ningún elemento sobrenatural. Como hemos visto, la caricatura se aleja de la apariencia para mostrar mejor lo que oculta. Como Goya pinta al ser interior, no al que se ofrece a la vista, puede tomarse todo tipo de libertades con las formas visibles. Así sucede en el *Capricho* 2, que muestra la boda de un anciano con una bella joven. Las tres cabezas monstruosas de los personajes que asisten a la boda indican su carácter socialmente escandaloso. En otros grabados, los burros y los monos aluden a actitudes humanas habituales. Al disfrazarlos los saca a la luz.

La intención satírica está presente a lo largo de toda la serie, pero no es ése su único sentido. Las espantosas figuras del coco (*Capricho 3*, GW 455), de los frailes (*Capricho 13*, GW 476), de los duendecitos (*Capricho 49*, GW 549), del sastre (*Capricho 52*, GW 555), del ave nocturna (*Capricho 75*, GW 602) y de los fantasmas (*Capricho 80*) proceden de las profundidades de la propia mente. Imágenes como el *Capricho 62* (GW 575), con la leyenda «¡Quién lo creyera!», sólo pueden explicarse por el deseo de luchar contra las supersticiones. Se trata sobre todo de la visión de una pesadilla personal, como había intuido Baudelaire (que escribía que en los *Caprichos* encontramos «todos los excesos del sueño, todas las hipérboles de la alucinación»): dos brujas desnudas se pelean mientras caen en un abismo, un animal flota por encima de ellas, y otro intenta atraparlas para tirar de ellas hacia abajo. Baudelaire comenta esta imagen: «Toda la fealdad, todas las suciedades morales y todos los vicios que la mente humana puede concebir están escritos en estas dos caras, que, siguiendo una costumbre frecuente y un procedimiento inexplicable del artista, están a medio camino entre el hombre y la bestia».[14]

Y también el *Capricho 65* (GW 581, **fig. 8**), que lleva por leyenda «¿Dónde va mamá?». ¿Cómo considerar sólo sátira social esta increíble aglomeración de cuerpos desnudos alrededor de un personaje femenino central, acompañados por un gato satánico que lleva una sombrilla y por un pájaro cuya cabeza ocupa el lugar del sexo del personaje que apoya los pies en el suelo? Sin embargo, el cuerpo de esta madre de fantasmas, a la que se llevan criaturas de una pesadilla, es el de una mujer corriente y vive muy cerca del apacible pueblo que vemos a un lado. Por la noche, los monstruos del inconsciente se llevan incluso a las madres más tranquilas. La imagen más nocturna de todas es el *Capricho 64* (GW 579, **fig. 9**), «Buen viaje», formada por cuerpos y rostros mezclados, del que el manuscrito del Prado comenta: «¿Adónde va esta caterva infernal dando ahullidos por el aire entre las tinieblas de la noche?». El texto sigue diciendo que si fuera de día, podrían caer al suelo, pero no por la noche, porque «como es de noche nadie las ve». Estos habitantes de la oscuridad no pueden ser expulsados de la mente, en donde habitan de forma permanente.

Algunas veces se considera que la función de las escenas de brujería y de fantasmas, tanto en los *Caprichos* como en los cuadros que compró el duque de Osuna, es disimular los elementos de crítica social, cuya presencia explícita habría podido perjudicar a Goya. Pero esta suposición es poco convincente, y por dos razones. En primer lugar, la crítica de los vicios públicos y del retraso del país, que hunden sus raíces en la ignorancia y las desigualdades sociales, no daría muestras del menor valor cívico por parte de Goya, porque esa opinión es también la de los reyes, su favorito Godoy y sus consejeros ilustrados, todos ellos defensores de determinada versión de la Ilustración. Por el contrario, podemos preguntarnos si estas imágenes de crítica social no están ahí más bien para disimular –a ojos de las élites ilustradas del país, pero algunas veces también a los de Goya– lo que acaba de descubrir respecto de las profundidades de la mente humana, tanto la suya como la de los demás, un poco como los escritores de épocas pasadas, que, como decía Leo Strauss, manejaban un arte de escribir que los protegía de las persecuciones. La representación de brujos y brujas no sirve sólo para fustigar las supersticiones, sino que permite poner de manifiesto los deseos inconscientes y evocar la influencia de la sexualidad en los comportamientos habituales.

Fig. 9. «Buen viaje», *Capricho 64*.

La razón no reina como ama y dueña en la casa de la mente. El orden está contaminado por el caos.

Este descubrimiento es mucho más subversivo que la sátira superficial, ya que hace temblar los fundamentos de todo orden establecido, ya sea moral, político o religioso. El medio y el fin intercambiarían su lugar, y las visiones nocturnas se convertirían en el objetivo, quizá en parte inconsciente, de la empresa. Se acabaron aquellos tiempos en los que Goya sufría de forma pasiva la influencia de sus amigos ilustrados, unos tiempos que Ortega y Gasset imaginaba así: «Goya les oye hablar. Inculto y de mente lenta, no entiende muy bien lo que oye».[15] Ahora es filósofo ya no sólo por contagio e impregnación, sino por los cambios que introduce en el pensamiento de la Ilustración, que sus amigos no imaginan. Estos últimos habrían podido imaginar que la Ilustración llevara a la Revolución, pero Goya sabe que puede desembocar también en el Terror.

Lo novedoso no es sólo el sentido de lo que se muestra, sino que la propia manera de hacerlo transforma radicalmente las costumbres. Estas imágenes, que ya no pretenden mostrar lo visible, renuncian también a todas las reglas de construcción del espacio. Las distancias quedan abolidas, las referencias se desvanecen, lo de arriba y lo de abajo se confunde, y los personajes se convierten en astronautas que flotan libremente por los aires. Renunciar a representar lo visible supone así renunciar en parte a las reglas y convenciones sociales. Como ahora lo que se muestra es el interior de la mente, ya no puede haber ley general. Se inaugura el reino del individuo, pero los individuos son múltiples y diversos. No son pues sorprendentes las reacciones violentas que suscitaron los *Caprichos*, como la de Ruskin, el más famoso crítico de arte de su tiempo, que a finales del siglo XIX se jacta de haber quemado personalmente un ejemplar completo de la serie de grabados para proteger a la humanidad de esa ignominia moral y estética. El arte clásico quería servir a la belleza e imitar la naturaleza. Tras haber renunciado al primer objetivo, Goya se aleja del segundo. Ya no es necesario que el arte represente formas visibles. Puede dedicarse a lo que sólo existe en la mente.

Sin embargo, el idioma común no ha desaparecido del todo de estas imágenes. El artista sigue siendo fiel a los principios de la pintura figurativa, que aspira a mostrar la verdad del mundo, tanto animado como inanimado. Simplemente, como se propone mostrar lo invisible, ya no puede apoyarse en un acuerdo general, por lo que debe recurrir a una interpretación personal. La *visión* subjetiva sustituye lo que todos *ven*. En consecuencia, Goya amplía todavía más la brecha que abrió en la tradición pictórica que había dominado la representación en Europa en los siglos anteriores y que reflejaba la fe en la existencia de un mundo estable, garante del consenso social. La Revolución francesa liberó fuerzas insospechadas que Goya es el primero en mostrar en sus imágenes. Aun así, esta interpretación del mundo se expresa en un lenguaje formal que todos pueden reconocer. El sentido de los objetos que Goya representa es algunas veces más difícil de identificar que las imágenes convencionales, pero está ahí y no es arbitrario. En otras palabras: sus imágenes dejan de ser una *representación* del mundo, pero no por ello dejan de ofrecer una *figuración*.

Cien años después de la muerte de Goya, una mujer rusa exiliada en Francia, Marina Tsvietáieva, reflexiona sobre su arte, que es la poesía, no la pintura. Aun así, las palabras a las que recurre para describirlo pueden aplicarse al arte visual tal y como lo entiende el pintor español. Tsvietáieva escribe que lo visible es un enemigo. Hay que saber ir más allá de las cosas y los seres, no limitarse a lo que se ofrece espontáneamente a los sentidos. Pero el único medio de vencer a este enemigo es escrutarlo con todas nuestras fuerzas para conocerlo mejor. «La vida del poeta consiste en trabajar lo visible para servir a lo invisible [...] Y para hacer visible lo invisible es preciso que lleve al extremo su visión exterior.» Conocer el interior del ser humano en ningún caso significa que se renuncie a observar las formas sensibles. «Lo visible son los cimientos, las piernas en las que se apoyan las cosas.»[16] Sin embargo, también es preciso recordar que se trata del medio, no del fin. Lo exterior no es lo contrario de lo interior. No sólo no lo disimula, sino que puede llevar a él, pero siempre y cuando se sepa interpretarlo.

La serie de grabados no tendrá éxito comercial, por lo que Goya la retira de la venta unos días después. Sólo se vendieron veintisiete ejemplares. El mensaje de Goya es demasiado complejo para que el gran público lo entienda y para que le guste. ¡Qué diferencia con los grabados de Hogarth, sátiras accesibles para todos que a mediados de siglo tuvieron gran éxito! Pero estaría fuera de lugar apelar en este caso al efecto de la censura, ya que las imágenes satíricas se ajustan al ideario de la élite dominante. Por lo demás, poco después de publicarse el volumen de los *Caprichos*, en 1799, Goya es ascendido al puesto más elevado, el de primer pintor de la cámara real. Y cuando, en 1803, ofrece las placas de sus grabados al rey, no es tanto para huir de las iras de la Inquisición como para obtener a cambio una pensión anual para su hijo.

Desde los *Caprichos* y hasta el final de su vida, treinta años después, Goya llevará una doble vida, lo que supone otra gran novedad. En una parte de su existencia, la que tiene lugar bajo la mirada del público, se somete a las reglas sociales de su tiempo y frecuenta la corte, y en la otra, la que está encerrada en su mundo privado, da libre curso a su imaginación, que lo lleva por caminos nunca antes transitados. Esta fisura interna lo llevará a realizar dos grupos de obras, unas en conformidad con la tradición y las otras producto de sus búsquedas personales, las unas «diurnas» y las otras «nocturnas».

En la parte pública de su vida sigue ejerciendo oficialmente como pintor de la corte y amigo de los grandes del mundo, y realiza diversos encargos. Pinta así retratos de varios personajes de palacio, así como un gran retrato colectivo de la familia real (en 1800-1801, GW 783). Mantiene buenas relaciones con Godoy, del que pinta un retrato halagüeño como gran jefe militar (GW 796). Otros retratos, más o menos inspirados, muestran a los miembros de la alta sociedad madrileña. Sin embargo, incluso en esos cuadros por encargo no podemos evitar observar que su mirada sigue siendo despiadada, que no sacrifica la verdad por la belleza. Los modelos debían de sentirse satisfechos al ver sus rasgos fielmente reproducidos, sin preocuparse de si se ajustaban a un ideal.

Al mismo tiempo Goya sigue pintando imágenes religiosas. Como es un artista famoso, puede permitirse innovaciones estilísticas que antes no le perdonaban, como la decoración de la iglesia de San Antonio de la Florida (GW 717-735), en Madrid, un notable éxito pictórico que rompe con las convenciones de las imágenes piadosas. Los personajes pintados no son muy diferentes de los visitantes que irán a contemplarlos. Goya no hace diferencias entre los habitantes de estos dos mundos, el legendario y el cotidiano. También decora la catedral de Toledo, cuyas pinturas se han deteriorado con el paso del tiempo, pero se conserva un esbozo, *El prendimiento de Cristo* (GW 737), de factura especialmente libre, en el que el color sustituye el dibujo. También pinta cierta cantidad de obras que podríamos considerar pintura «de género» y que representan el mundo profano. Algunas de ellas se inscriben en proyectos más amplios, como los cuatro tondos alegóricos que pinta a finales de siglo para Manuel Godoy (en la actualidad se conservan tres, entre ellos *El Comercio*, GW 692).

Goya sigue moviéndose en ambientes ilustrados y pinta también a la mayoría de sus amigos, en especial un hermoso y melancólico retrato de Jovellanos (GW 675). Su cercanía a los ilustrados responde a más de una razón. Este grupo tiene un gran interés por la pintura. Jovellanos pronunció un «Elogio de las Bellas Artes» y una oda «A la gloria de las artes», siempre en la estela de la Ilustración. Las ideas de Jovellanos sobre este tema no dejan a Goya indiferente. Su amigo afirma que no basta con pintar lo que se ve, sino que es preciso pensar también lo que se pinta. Defiende además una concepción utilitaria del arte. Goya constatará que la observación y el pensamiento no le bastan, por lo que añadirá a esta pareja un tercer cómplice: la imaginación, facultad especialmente útil para los pintores. Para él, el arte no puede limitarse a educar al pueblo, sino que su vocación es adentrarse en los misterios del mundo.

Un famoso cuadro de esta época es la *Maja desnuda* (GW 743). En la actualidad se cree que pintó esta tela para el gabinete secreto de Godoy, ya que este dirigente del país, de gustos libertinos, colecciona cuadros de mujeres desnudas. Cabe decir que los cuadros con los que la obra de Goya comparte espacio no desmerecen lo más mínimo, ya que debe competir con la *Venus del espejo* de Velázquez, regalo de la duquesa de Alba a Godoy, del que fue amante, y una *Venus dormida* de Tiziano... Pero Goya no pinta a una Venus, ni siquiera, como Boucher unas décadas antes, una «odalisca», sino que muestra a una mujer de su tiempo totalmente desnuda mirando al espectador a los ojos. El carácter directo de la escena puede sorprender. Los desnudos clásicos suponían un elogio a la creación, un himno a la belleza, pero Goya despoja su imagen de todo significado sublime y pinta una vez más una imagen literal, a una mujer de su época que posa con la mirada clavada en el pintor (y en el espectador). Goya pintó este cuadro antes de 1800. Unos años después pintará, en el mismo formato, una *Maja vestida* (GW 744), que quizá servía para esconder la imagen indecente en determinadas circunstancias.

Todos estos cuadros, algunos de estilo bastante convencional, y otros más libres (los destinados a amigos o a coleccionistas prudentes), pertenecen a uno de los caminos de Goya como pintor. De otro tipo son los cuadros que no corresponden a encargos, que se quedaron en el estudio del pintor al menos hasta 1812, como testimonia el inventario que se llevó a cabo en esa fecha. Entre ellos encontramos una serie de variaciones sobre temas ya tratados en los *Caprichos*, como gente del pueblo dándose a la bebida (*Los borrachos*, GW 871), prostitutas en un balcón con sus proxenetas (GW 960) o con la celestina, la vieja alcahueta (GW 958). Otro cuadro combina la visión del comercio sexual con la contaminación de lo visible por lo invisible: *Las viejas* (o *El Tiempo*, GW 961), dos figuras femeninas grotescas cuyos rasgos faciales son propios de máscaras. A estas viejas sigue preocupándoles su apariencia, y no se dan cuenta de que están sentadas ante un personaje alegórico, seguramente el Tiempo, o la Muerte, con una escoba en la mano que le permite hacer desaparecer las vanidades humanas. Tanto el rostro del personaje principal como el sentido de la escena recuerdan al *Capricho 55*, que lleva por leyenda «Hasta la muerte» (GW 561), pero el cuadro en sí hace pensar en las obras de «capricho e invención», pintadas en 1793 o 1798, ya que muestra los mismos contrastes de luz y la misma libertad en los colores.

Junto con estos cuadros encontramos otros que podemos interpretar como una visión benevolente del mundo del trabajo, tema recurrente en la obra de Goya, como *La aguadora* (GW 963) y *El afilador* (GW 964), que, a diferencia de los perezosos frailes, realizan un trabajo útil para la comunidad. Estos personajes, en la línea de *El albañil herido* (**il. 1**), aunque desprovistos de toda anécdota, parecen merecer respeto, lo que quedaría todavía más claro si, como se supone, los cuadros que en la actualidad llevan estos títulos fueran parte de pinturas de mayor formato. Por último, en el mismo inventario figura un grupo de naturalezas muertas bastante sorprendentes, que rompen con las tradiciones del género (GW 903-913). Esos trozos de carne o de pescado y esas aves desplumadas no aspiran ni a la belleza decorativa ni al sentido que suele otorgarse a las vanidades. Esos trozos de carne muerta se limitan a dar testimonio de su presencia.

Podemos preguntarnos a qué espectador ideal dirigía Goya estos cuadros, y a qué lugar de exposición. La pintura de género, los paisajes y las naturalezas muertas, que habían proliferado en Holanda en los siglos XVII y XVIII, se colgaban en las paredes de las casas burguesas más o menos acomodadas. Estos cuadros mostraban una concepción coherente del mundo natural y del orden social. Las escenas de la vida cotidiana se apoyaban en ideas que todos compartían sobre virtudes y vicios, elogios y condenas. Las imágenes de la naturaleza inanimada formaban parte de una visión armónica del cosmos y de una sabiduría común respecto del paso del tiempo y la fragilidad de todas las cosas. Pero nos cuesta imaginar los cuadros «personales» de Goya no sólo en los palacios reales, sino incluso en los salones de aficionados ilustrados, como los duques de Osuna. Dado que esos cuadros no salieron del estudio del pintor, debemos llegar a la conclusión de que los pintaba porque necesitaba hacerlo, no para satisfacer un encargo. Cuando más tarde encuentran comprador, y no se trata de una pura inversión comercial, cabe suponer que Goya ha encontrado mentalidades próximas a la suya, aficionados que valoran su búsqueda incesante de la verdad. La abundancia de pequeños formatos entre estas pinturas personales («cuadros de gabinete») no es azarosa. Esos cuadros muestran una búsqueda ante todo personal, y su precio los hace accesibles a cualquiera.

En la actualidad estos cuadros suelen decorar las paredes de los museos, donde se exponen a otro tipo de malentendido. El museo convierte todo objeto que alberga, incluso *El urinario* de Duchamp, en objeto de contemplación estética. Impide que las obras interactúen con el mundo circundante y hace de ellas encarnaciones del arte puro. Pero Goya no aspira a crear objetos bellos, sino que ofrece el testimonio atento de sus visiones.

A partir de esta época, Goya dará libre curso a lo que puebla su mente, sobre todo en sus dibujos. Esta abundante producción visual no está destinada a que la vean terceros, o sólo de forma excepcional, por lo que el pintor se muestra totalmente libre de toda consideración de conformidad con los gustos de la época. Sin embargo, al reunirlas en álbumes, en un orden bien pensado, otorga a esos dibujos el estatuto de obras como las demás. Los dos primeros álbumes, designados por las letras A y B, de los que hemos visto ya algunos ejemplos, datan de los últimos años del siglo XVIII. Los dos últimos, G y H, están formados por dibujos realizados en Burdeos, donde Goya vivirá de 1824 hasta su muerte. Como los dibujos no están fechados, la cronología de los otros cuatro álbumes (C, D, E y F) es más incierta, pero en la actualidad todo el mundo parece estar de acuerdo en que el álbum C es el más antiguo, de los años 1808-1814, mientras que los otros tres serían posteriores a la guerra de Independencia.

Este álbum C (el más voluminoso, con ciento treinta tres dibujos) parece ser, todavía más que los anteriores, el diario del pintor, en el que va anotando lo que ve a su alrededor, pero también lo que imagina y lo que recuerda, y lo comenta brevemente. Por lo demás, las fronteras entre este diferente origen de las imágenes –observación, imaginación y recuerdos– no son impermeables. Encontramos a los protagonistas de la vida cotidiana, a los que Goya observa con atención: mendigos, paseantes y patinadores, cazadores, artistas y bailarines callejeros. Varias imágenes representan escenas galantes, por lo que ponen el acento en la ternura, como en C 84 (GW 1320). Otras muestran acciones y situaciones que suelen considerarse loables: el amor materno y paterno, la intimidad familiar, la aplicación en el trabajo y los gestos de caridad, como la mujer que da de beber a un enfermo (C 67, GW 1304). Sin embargo, la mayoría de las veces Goya se deja arrastrar por su tendencia satírica y dibuja a personajes deformes y grotescos, situaciones en las que las personas parecen ridículas, y muestra sin piedad a borrachos, frailes y campesinos crédulos.

La violencia siempre encuentra un lugar en su obra. No se cansa de mostrarnos las diferentes manifestaciones de esta tendencia humana y nos obliga a preguntarnos por su origen, como él mismo debía de hacer. Algunas formas de violencia son claras, como la cárcel, la tortura legal, la brutalidad de los oficiales e incluso los duelos, pero otras son producto de las circunstancias, como los muertos a consecuencia del hambre y los heridos de guerra. Y otras más derivan de costumbres propias de los «salvajes». No menos impresionantes son los dibujos que muestran una violencia que no tiene más razón que las irresistibles pulsiones procedentes del interior del individuo, como los atracos a mano armada y las peleas, que pueden acabar con la muerte o, lo que es todavía más cruel, con la tortura destinada a matar lentamente, como en el dibujo C 32 (GW 1270), que lleva por leyenda «Qué orror por benganza».

Otras imágenes proceden claramente de la invención, o de la visión «nocturna», como esa sorprendente serie (C 39-47, GW 1277-1285) formada por nueve «visiones burlescas», sin duda fruto de una pesadilla. Por ejemplo, C 42 (GW 1280, **fig.** 10), cuarta visión de la misma noche, en la que un soldado con una cabeza gigantesca (o una máscara) esboza un paso de baile.

No sabemos si nos sorprenden más los seres extraños que pueblan los sueños de Goya o su habilidad para recuperarlos. Como mínimo, estas imágenes muestran con qué atención el pintor escruta sus pesadillas, las visiones que lo invaden una vez que la razón se ha dormido. Vuelven también las brujas, sobre todo en ese dibujo (C 70, GW 1307) que las muestra volando, intentando alzar una pesada tapadera. La leyenda anuncia: *Nada dicen*, como más tarde en el *Desastre 69*. Lo que sobre todo sorprende de este dibujo es la extraña contorsión de

Fig. 10. *Visión burlesca. 4ª en la misma.*

los cuerpos. Desde la época de los *Caprichos*, Goya suele mostrar a las brujas volando (**figs. 8-9**). El acto de volar se relaciona también con temas eróticos. Un dibujo de esa época (GW 641) muestra a una joven totalmente desnuda volando a lomos del gran macho cabrío, es decir, el diablo, con otros dos habitantes de ese mundo nocturno entre sus patas. El rostro de la mujer no expresa el menor terror.

La diferencia entre las dos series de imágenes, una destinada a la circulación pública y la otra al uso privado, es clara. No se explica, como han afirmado algunos, por el paso de un Goya de pueblo y confuso a un Goya de ciudad y cortesano, amigo de nobles y de intelectuales. Tampoco se parece a lo que sabemos de la vida de pintores anteriores, incluso los que pintaron esbozos de estilo más libre que los cuadros terminados. Para ellos esos esbozos eran imágenes preparatorias, a las que nuestro gusto contemporáneo concede valor y dota de existencia autónoma, pero que no tenían este estatus para los artistas. Goya, que ahora lleva una doble vida, pinta simultáneamente de dos maneras diferentes, de distinta inspiración.

No conocemos ningún ejemplo equivalente entre los pintores del pasado, ni siquiera entre los artistas posteriores. Ningún artista ha seguido dos líneas de producción totalmente distintas, una oficial y la otra confidencial. En la Rusia soviética, donde el poder bolchevique ejercía una censura todavía más invasiva que la de la Inquisición, algunos pintores sufrieron una división comparable entre la vida pública y la vida privada, pero aquellos cuyo trabajo inicial no se ajustaba al gusto oficial enseguida se veían abocados a elegir entre el conformismo y la clandestinidad. No lograban mantener ambos términos. En Goya, las razones de la dualidad parecen ser de carácter público y privado a la vez.

Podría trazarse otro paralelismo con los escritores que publican obras mientras llevan un diario íntimo, que muestra otras facetas de su persona. Mucho tiempo después se publica el diario, y el lector dispone de dos versiones diferentes del mismo individuo. Los primeros ejemplos de este tipo, por cierto, datan de la época de Goya. Este tipo de actividad presupone interés y respeto por el camino interior del individuo, algo que no encontramos hasta entonces. Benjamin Constant, por ejemplo, escribe durante años un diario íntimo que en absoluto tiene previsto publicar, pero que en algunos casos el lector actual prefiere a los textos que escribió para el público. Las imágenes que Goya se reserva para sí mismo asumen algunas veces una función similar, con la salvedad de que el gesto de desdoblamiento es mucho más violento cuando se trata de imágenes en lugar de textos, y de que en él la parte secreta de la obra es cuantitativa y cualitativamente impresionante. Se trata no sólo de dibujos, que en su época no solían destinarse al público, sino también de grabados e incluso pinturas.

Así pues, el artista puede dar la espalda a la sociedad y seguir siendo artista.

La invasión napoleónica

El golpe psicológico que sufre Goya en los últimos años del siglo XVIII, a consecuencia de su enfermedad de 1792-1793 y del fin de su aventura con la duquesa de Alba, en 1796-1797, provoca un cambio tanto en su visión del mundo como en su manera de representarlo. A la vez el pintor saca conclusiones radicales de las conmociones que causan los acontecimientos políticos en Europa, sobre todo la Revolución francesa. Al tambalearse los fundamentos del orden social, las normas de la representación también oscilan y se abre el camino a la innovación individual. La comunicación con los demás no tiene por qué ser inmediata. Para Goya, la imagen se convierte ante todo en un medio de expresión personal. Ahora el artista puede pintar y dibujar, y guardarse para sí mismo los resultados de su labor.

Los primeros años del siglo XIX volverán a imprimir un cambio en su visión del mundo, cambio que ya no tendrá que ver con la mente humana ni con los caminos de la pintura, sino con la actividad social y pública de los hombres. Lo provocan los acontecimientos políticos que sobrevienen en el país. En la Europa desgarrada por las guerras de Napoleón, en las que todos son conminados a tomar partido a favor o contra él (y en este último caso a favor de Inglaterra), la situación de España no es fácil. A las ideas revolucionarias ya presentes en la península ibérica, Napoleón ha añadido el poder militar de sus regimientos. Las primeras inquietaban, pero los segundos aterrorizan. La situación interna también es inestable. El Gobierno más o menos liberal de Manuel Godoy desazona al bando contrario, el «oscurantista», que se siente desposeído de sus poderes y se aferra a su identidad religiosa (consideran ateos a los ilustrados), tradicional (el gobierno acaba de prohibir las corridas de toros, un ritual antiguo) y moral (se acusa a Godoy de ser amante de la reina, aunque probablemente no lo es). Las esperanzas de este sector conservador de la población se vuelcan sobre el heredero del trono, Fernando, que se sabía que era de ideas tradicionalistas. Para librarse de Godoy, Fernando recurre en 1807 a Napoleón, sin darse cuenta de que está metiéndose en la boca del lobo. Napoleón enseguida aprovecha para enviar su ejército a España. Su objetivo final es ocupar Portugal para enfrentarse con mayor eficacia a los ingleses.

En un primer momento el grupo conservador acoge a los soldados franceses con benevolencia, porque cree que reforzarán a Fernando y lo ayudarán a librarse de Godoy. Las masas se agitan y en marzo de 1808, animados bajo mano por el príncipe heredero, se alzan contra el Gobierno en Aranjuez. La multitud ocupa el palacio de Godoy y lo arresta. En esta situación candente, y para salvar la vida de su ministro, Carlos IV abdica en favor de su hijo, que entra triunfalmente en Madrid como Fernando VII. Su posición no deja de ser paradójica, dado que debe el trono a un motín popular que recuerda la toma de la Bastilla en 1789, y su seguridad, las tropas francesas de Murat. Esta situación enmarañada no termina de complacer a Napoleón, que a finales de abril de 1808 convoca en Bayona a todos los dirigentes españoles: Fernando, su padre Carlos IV, su madre María Luisa, su protegido Godoy y otros miembros de la familia. Obliga entonces a Fernando a devolver la corona a Carlos IV, que vuelve a abdicar, esta vez en favor del hermano del emperador, José Bonaparte. A la multitud de Madrid, más o menos al corriente de estas maniobras, le da la impresión de que le quitan a su favorito, por lo que se subleva el 2 de mayo de 1808. Murat ordena que la repriman y corre la sangre. Ese verano, tras diversas peripecias, José es nombrado rey de España, Fernando se exilia en Francia y sus familiares en Italia. Ahora el ejército francés está a las órdenes de José, ya no de Fernando. Está situación se mantendrá a grandes rasgos hasta 1813.

José Bonaparte dirige una política inspirada en los principios ilustrados que habían orientado a Carlos III, Carlos IV y sus ministros, Aranda, Jovellanos y también Manuel Godoy. Impone varias medidas con las que seguramente sus predecesores habían soñado, pero no se habían atrevido a defender: suprime la Inquisición, elimina los derechos feudales y las aduanas internas, y cierra gran cantidad de conventos. El Estado se apropia de dos tercios de los bienes de la Iglesia y moderniza la Administración, lo que quiere decir también que recauda los impuestos con más rigor. José se compromete incluso a promulgar una Constitución que limite sus poderes y se plantea mantener la prohibición de los toros.

Cierta cantidad de ilustrados se reconocen en este programa y se ponen al servicio del Gobierno, por convicción o por comodidad. Entre los amigos de Goya, Cabarrús, Urquijo, Meléndez Valdés y Moratín (pero no Jovellanos, que defiende al bando contrario). La familia política de su hijo también toma partido a favor del Gobierno. No tienen la sensación de haberse convertido en colaboradores al servicio del enemigo, ya que están al servicio de los ideales que siempre han defendido. Sus enemigos los llamarán afrancesados e insinuarán que ésa es la verdadera identidad de los ilustrados. Esta asimilación les permite presentar a sus enemigos ideológicos como extraños al auténtico espíritu español, como a individuos que colaboran con el invasor. Esta propaganda, que presenta las ideas liberales como extrañas a la tradición española, será muy eficaz.

La situación es en realidad más compleja, puesto que a la primera oposición entre oscurantistas e ilustrados se añade una segunda, que divide a los ilustrados entre partidarios y enemigos de la ocupación francesa. Los oscurantistas se niegan a ver y a reconocer este conflicto, cuya existencia debilita sus argumentos. Si lo aceptaran, se verían obligados a admitir también que las ideas de la Ilustración no son sólo una importación francesa, sino que tienen una dimensión universal, y que por lo tanto no son menos españolas que las suyas. Prefieren presentar su resistencia al invasor como una nueva cruzada, dirigida por los representantes de la Iglesia y de la Inquisición, que pretende defender la identidad tradicional del país, católica y española, amenazada por extranjeros ateos. La realidad es que los liberales patriotas, que luchan contra la ocupación francesa sin negar los principios de la Ilustración, son más numerosos que los que aceptan trabajar a las órdenes del invasor. Se agrupan en varias provincias españolas que no han sido ocupadas, y en 1812 forman en Cádiz una asamblea que adopta una Constitución de talante liberal, que cuentan con imponer una vez hayan expulsado a los franceses. Lo cierto es que el contenido del texto es parecido a las reformas promovidas por el odiado rey francés.

Se inicia una guerra de Independencia contra un enemigo al que los unos presentan como la encarnación de las ideas liberales e ilustradas, y los otros como alguien que utiliza esas ideas para ocultar una política cuya verdadera inspiración es nacionalista e imperialista. Así pues, esta guerra contra el extranjero invasor enmascara un conflicto hispanohispánico de naturaleza ideológica, que enfrenta a los españoles católicos y tradicionalistas contra los españoles partidarios de las ideas de la Ilustración, y que mucho más adelante alcanzará la intensidad de una auténtica guerra civil.

Si tuviéramos que compararlo con acontecimientos más recientes, podríamos recurrir a la oposición entre las fuerzas occidentales que ocupan Afganistán, que pretenden ofrecer a la población la democracia y los derechos del hombre, y que se apoyan localmente tanto en individuos «ilustrados» como en los que esperan aprovecharse de la ganga para hacer carrera rápidamente, y por otro lado los jefes de guerra afganos y los talibán, clero ignorante y retrógrado, a los que se ha desposeído de su poder y que para vencer en su lucha apelan a los sentimientos patrióticos de la población. Los ciudadanos, que ante todo quieren la paz y la prosperidad, son las principales víctimas de los sangrientos enfrentamientos entre los diferentes sectores que aspiran al poder. Así, la presencia de fuerzas militares extranjeras no sólo no hace más eficaces los ideales que se supone debería defender, sino que los compromete. Encontramos aquí un esquema típico de las conquistas coloniales del siglo XIX. Los valores de la Ilustración y de la civilización europea, utilizados como pretexto o excusa para ocupar territorios extranjeros, pierden consideración y son vistos como una manera de camuflar una política que sólo defiende los intereses de los colonizadores.

La esperanza de los franceses de que iban a recibirlos con flores y fiestas, como a libertadores, se desvanece y empieza la larga guerra de Independencia. El combate adquiere una nueva modalidad. El ejército francés reivindica una mentalidad que tiene su origen en las guerras revolucionarias, un mesianismo secular que legitima la violencia por la promesa de la salvación temporal para todos. Es una «cruzada de libertad universal», según la frase de uno de sus defensores. Para alcanzar un objetivo tan sublime, todos los medios están permitidos, y en lugar de los conflictos convencionales del siglo anterior, se produce una guerra total que golpea a la población civil tanto como a los soldados. Por su parte, los españoles que les hacen frente saben que sus fuerzas militares no bastan para enfrentarse a los regimientos de Napoleón. Pero cuentan con otras ventajas: conocen bien el terreno y gozan de la simpatía de la población. Se inventan pues una nueva manera de luchar, en la que el acoso sustituye a la batalla. Las guerrillas desconciertan al ejército francés, acostumbrado a enfrentamientos directos. Así, a principios del siglo XIX España se ha convertido en el escenario en el que se presentan varias innovaciones que las generaciones siguientes conocerán bien. El primer ejército moderno, el de Napoleón, se enfrenta a la primera resistencia armada organizada, la guerrilla. No es sorprendente que en esos momentos aparezca el primer gran pintor de la modernidad.

La guerrilla se mantendrá durante toda la ocupación, de 1808 a 1813. Gran cantidad de publicaciones denuncian el salvajismo francés. En 1809 la junta de Valencia describe así a los invasores: «Se han comportado peor que una horda de hotentotes. Han profanado nuestros templos, insultado nuestra religión y violado nuestras mujeres».[17] Había que hacer algo. Un observador inglés informa de que vio a un guerrillero español mostrando su colección de orejas y de dedos humanos, «que había arrancado del cuerpo de franceses a los que él mismo había matado en la batalla».

La violencia va en aumento, tanto por una parte como por la otra. Cada agresión de un bando provoca represalias, seguidas de un ataque todavía más feroz para vengar la ofensa, en una escalada sin fin. A la guerra total de los franceses responde la creciente violencia del bando español. Un jefe de comando informa: «Yo siempre me quedaba con muchos prisioneros. Si el enemigo colgaba o fusilaba a uno de mis oficiales, como represalia hacía sufrir la misma suerte a cuatro oficiales suyos. Por cada soldado muerto yo sacrificaba a veinte».[18] Se trata, según la expresión de Germaine Tillion, de «enemigos complementarios», porque cada uno alimenta la intransigencia del otro. Los unos matan y torturan en nombre de la libertad y de la igualdad, y los otros en nombre de Cristo y de España; los unos olvidan los derechos del hombre, y los otros la caridad cristiana. Ambos están convencidos de que tienen razón, y ambos masacran despiadadamente al enemigo. Goethe (1749-1832), contemporáneo de Goya, reaccionará así en una situación análoga, la ocupación de Alemania por las tropas napoleónicas y la encarnizada resistencia de la población:

> Maldito sea el que, mal informado,
> con valor demasiado temerario,
> hace ahora como alemán
> lo que el franco de Córcega hizo antaño.[19]

En 1811-1812, a los demás desastres que trae consigo la guerra se suma en Madrid el hambre, que se estima que provocó veinte mil muertes.

Durante todo este periodo Goya sigue siendo el primer pintor de cámara del rey, pagado por palacio. Debemos diferenciar aquí su actitud pública, que resulta sencillo reconstruir gracias a los documentos, de sus sentimientos y pensamientos, que sólo podemos adivinar. Por lo que respecta a la primera, el pintor está sometido a las obligaciones inherentes a su cargo. En cuanto Fernando se instaura como rey, Goya tiene que pintar su retrato, lo que hace en marzo-abril de 1808, al parecer sin gran entusiasmo por ninguna de las dos partes. En verano José sustituye a Fernando, pero se ve obligado a huir casi inmediatamente, y en noviembre vuelve a Madrid. Entretanto, el general al mando de la defensa de Zaragoza contra las tropas francesas ha pedido a Goya que «vaya esta semana a Zaragoza a ver y examinar las ruinas de aquella ciudad, con el fin de pintar las glorias de aquellos naturales». En octubre-noviembre de ese año Goya viaja a la región en la que nació y ve de cerca los horrores de la guerra. En diciembre de 1808 está de regreso en Madrid, donde se ve obligado, como todos los demás cabezas de familia, a jurar «amor y fidelidad» al rey José.

En 1809 acepta un encargo del Ayuntamiento de Madrid, que termina poco después. El cuadro se titula en la actualidad *Alegoría de la villa de Madrid* (GW 874). La historia de este cuadro, de factura totalmente convencional, es instructiva. Entre figuras alegóricas vemos un tondo que en un primer momento contenía el retrato de José Bonaparte. Cuando éste huye de la ciudad, en 1812, Goya borra el retrato y escribe en su lugar «Constitución». Pero tiene la mala suerte de que José vuelve antes de finales de año, de modo que Goya pinta rápidamente otro retrato del soberano. Cuando lo expulsan definitivamente, vuelve a aparecer la palabra «Constitución». Poco después Fernando recupera el trono, pero no le gusta la idea de la Constitución, de modo que Goya vuelve a borrar la palabra y la sustituye por el retrato del nuevo rey... Tras la muerte de Goya, a mediados del siglo XIX, se cubre este retrato y se escribe en su lugar «Libro de la Constitución». Pero treinta años después vuelve a cambiarse por última vez y se escribe en el tondo «Dos de mayo», en recuerdo de la insurrección contra los franceses, palabras que vemos en la actualidad. Se ha encontrado por fin un recuerdo heroico en el que todo el mundo –liberales y conservadores– puede reconocerse. En esa misma época Goya pinta también el retrato de diversos personajes que van ocupando la escena política, tanto dignatarios franceses de paso como insurgentes españoles. El último de la serie es el general inglés Wellington. Servidumbres del palacio...

El primer biógrafo de Goya, Matheron, que veía en el pintor a un representante de la Ilustración francesa, materialista y republicana, se lamenta a este respecto: «Este liberal empedernido fue inexplicablemente inconsecuente y sirvió con el mismo celo a todos los reyes de su país».[20] Pero ¿es esta actitud verdaderamente incomprensible y condenable? ¿Podemos pedir a un artista como Goya que se comporte como un buen ciudadano, incluso como un ferviente militante de un programa de acción? A diferencia del político, que en principio pretende mejorar la situación de sus compatriotas, y por ello opta por la actividad pública, el artista –pintor, escritor– vive simultáneamente en dos estadios temporales diferentes, el presente y una especie de eternidad. Por una parte es un ciudadano como los demás, y sus actos se juzgarán en función de las leyes y normas de su tiempo, pero por otra parte está comprometido en una búsqueda cuyo objetivo último es una verdad intemporal y cuyos resultados se dirigen ya no a sus compatriotas, sino a la humanidad. Lo que es bueno para un político no basta al artista, cuya ambición es más elevada. Goya puede admirar la actividad cívica de Jovellanos, pero no podría limitarse a ella. Uno debe juzgar a los hombres, favorecer a los buenos y rechazar a los que considera malos, pero el otro, aunque no pueda renunciar a sus inclinaciones y a sus juicios, debe entender y representar tanto las fuerzas del bien como las del mal. La intransigencia del ciudadano no favorece el trabajo del artista.

Pero para llevar a cabo esta búsqueda de verdad, el artista debe liberarse de las preocupaciones por la supervivencia cotidiana. Se le presentan dos soluciones: disponer de un protector y mecenas rico, o poner sus obras a la venta por su cuenta. No es seguro que esta última solución, que será mayoritaria en la época moderna, sobre todo en el caso de los escritores, pero también de los pintores, beneficie demasiado la autonomía y la libertad de su búsqueda. Vivir con la obligación de complacer al público –lo que quiere decir también teniendo en cuenta la opinión común de su tiempo, incluso estereotipos propios de los críticos, que son los legisladores del gusto– puede influir en la actividad creadora de manera más profunda y más dañina que depender de un «jefe», sobre todo si es tolerante y amplio de miras. El puesto de pintor del rey garantiza a Goya su independencia económica, pero sus obligaciones con la corte en ningún caso le impiden investigar caminos desconocidos en su arte. La prueba es que él, el artista oficial, y no otro pintor políticamente irreprochable, es el que lleva a cabo la revolución pictórica más importante de los dos últimos siglos en Europa y el que a la vez transforma el pensamiento de la Ilustración.

No podemos evitar poner de manifiesto esta paradoja: el pintor que, más que ningún otro, anuncia el advenimiento de la modernidad, derriba las jerarquías y revoluciona las relaciones del arte con la autoridad es también al que durante todos sus años de madurez mantienen los reyes del país, incluido un soberano tan retrógrado y represor como Fernando VII. A este respecto podríamos decir que el comportamiento de Goya se ajusta a la descripción que hace Montaigne de su conducta pública: «Mi razón no está hecha para inclinarse y doblegarse. Para eso tengo las rodillas».[21] ¿Qué sucede con la razón y los sentimientos de Goya?

En 1805 se casa su hijo, y en la boda el pintor conoce a una joven llamada Leocadia, pariente de su nuera, que tiene entonces diecisiete años. Dos años después Leocadia se casa con un rico mercader, Isidoro Weiss, con el que tiene dos hijos. Pero parece que en algún momento el pintor tuvo una relación con ella. En septiembre de 1811 el matrimonio se rompe, y al año siguiente el marido denuncia a su mujer por infidelidad (aunque nada prueba que esa denuncia tuviera que ver con Goya). En 1812 muere la mujer de Goya, Josefa. En 1813 (o finales de 1812) Goya intenta marcharse de Madrid, quizá con Leocadia, pero por orden del ministro de la Policía se le recuerdan sus obligaciones y no tarda en volver a Madrid. En 1814 Leocadia da a luz a una niña, María Rosario, de la que Goya se ocupará activamente en los últimos años de su vida (porque Leocadia y María Rosario lo seguirán en su exilio a Burdeos). Tras la muerte de Josefa se hace un inventario de los bienes de la pareja (lo que probablemente indica que el hijo del pintor, Javier, teme que llegue una candidata a compartir la futura herencia). Este inventario muestra que Goya es rico, que posee varias casas, joyas e importantes sumas de dinero en metálico, por no hablar de los cuadros, que valen mucho dinero.

En el plano de los sentimientos políticos Goya no puede sino estar dividido frente a una situación bastante compleja. De entrada, su patriotismo espontáneo, pero también sus gustos «plebeyos» (las corridas de toros, el teatro popular y las fiestas) le harían inclinarse hacia el pueblo, tanto más cuanto que el pueblo es la primera víctima de la guerra, que causa estragos. Por otro lado, su puesto de pintor de la corte lo obliga a mostrarse fiel con los que detentan el poder, sean quienes sean. Por último, tiene amigos ilustrados en ambos bandos de la contienda. En esos momentos sin duda es consciente de que no puede contentar a las tres partes a la vez, de modo que parece adoptar una posición más retirada, y también más compleja. Se da cuenta de que las opiniones que se profesan no garantizan la virtud de los actos. Los grandes principios ilustrados pueden servir para justificar la ocupación extranjera y la obligación de colaborar con ella. Si se limitara a defender las ideas liberales, podría confundírsele con los enemigos de su pueblo, pero si sólo defendiera a España contra los franceses, se situaría en el bando del clero retrógrado y de la Inquisición, de los que lleva tiempo burlándose.

En *Hermann y Dorotea*, su «epopeya burguesa», publicada en 1798, Goethe resume los sentimientos ambivalentes de los pueblos vecinos de Francia frente a la Revolución francesa y los cambios radicales que suponía. Al principio la población vibra cuando menciona el nuevo ideal –libertad, igualdad y fraternidad– y defiende con entusiasmo los derechos del hombre. Cómo no sentir que el corazón late a toda prisa

cuando se oyó hablar de los derechos comunes a todos los hombres,
de la libertad vivificante y de la igualdad bienhechora.

Pero poco después aparecen las nubes. El ejército francés entra en el país, al principio –tanto en Alemania como en España– con un mensaje amistoso. No obstante, desde el primer intento de resistencia, empieza la lucha por el poder, corre la sangre y se instala la violencia.

Entonces conocimos también los más funestos horrores de la guerra.[22]

Malraux recurre a una comparación elocuente para describir los *Desastres de la guerra*, la nueva serie de grabados de Goya: es como «el álbum de un comunista después de que las tropas rusas invadieran su país».[23] Todavía peor: ahora Goya sabe que las ideas de la Ilustración también pueden servir para justificar la invasión, la represión y las masacres. No bastan para impedir la violencia, sino todo lo contrario. Las tropas de Napoleón recurren a la violencia en nombre de esas ideas. El remedio contra los males sociales, en el que había creído, resulta ser ineficaz e incluso provoca otros daños. No sólo el sueño de la razón produce monstruos, sino que en estado de vigilia hace lo mismo. ¿Debemos pues sorprendernos de que Goya se vuelva más escéptico y se abstenga de expresar su adhesión a toda ideología?

No atenderá la demanda de sus conciudadanos de Zaragoza, porque en ese momento no pintará «las glorias de aquellos naturales». Pintará muchos cuadros de la guerra, pero en general nada tendrán de heroico. La mayoría de ellos no defienden ni glorifican a ninguna de las partes, sino que se limitan a mostrar la violencia y sus terribles efectos. No reivindican ninguna causa, sino que destilan desesperación y compasión. Ante el espectáculo de la guerra, Goya jamás cederá a la tentación estetizante, como tampoco sentirá admiración por el campeón de la época, el emperador Napoleón.

Sobre este último punto no compartirá los sentimientos de Goethe. El poeta alemán conoce al emperador en 1808, en Erfurt, justo en el momento en el que Zaragoza está sitiada. Por lo demás, Napoleón quiere reunirse con el emperador ruso Alejandro I para pedirle la neutralidad de su país durante su campaña en España. Los dos soberanos, en una anticipación del pacto germano-soviético de 1939-1941, se ponen de acuerdo para repartirse las esferas de influencia en Europa y en el mundo, en detrimento del enemigo inglés. Goethe recuerda emocionado esa entrevista y sigue admirando a Napoleón, no tanto por lo que ha hecho como por su brillantez. En definitiva, es la valoración de un artista sobre otro. «Siempre brillante, siempre claro y decidido, y en todo momento dotado de la energía suficiente para llevar a cabo inmediatamente lo que consideraba ventajoso y necesario», dirá Goethe a su secretario Eckermann el 11 de marzo de 1828. Y añade: «Napoleón fue uno de los hombres más productivos que hayan existido jamás. Sí, amigo mío, no sólo se es productivo cuando se escriben poemas y obras de teatro. También la acción es productiva».[24]

Ni en 1808 ni en 1828 Goya caerá en la tentación de juzgar desde el punto de vista estético la manera de hacer la guerra y de ganar las batallas. Jamás separará su juicio sobre los fines desastrosos de una acción del asco que le inspiran los medios utilizados para alcanzarlos. Jamás juzgará a los políticos como si fueran artistas. Los ideólogos justifican los medios atroces por fines sublimes. Es cierto que matar y torturar es deplorable, pero al menos instauraremos en este país salvaje la democracia y los derechos del hombre... Los estetas están dispuestos a admirar la belleza de una acción incluso cuando está al servicio de un objetivo lamentable. Así, mucho tiempo después de Nerón ante una Roma en llamas y Napoleón evocando los incendios de Moscú, Albert Speer, ministro de Armamento de Hitler, no podía evitar admirar el bello espectáculo de las bombas incendiarias cayendo sobre la ciudad en la que estaba, Berlín.

A Goya, el trágico destino de la guerra sólo le inspirará un sentimiento: el horror.

Fig. 11. «Enterrar y callar», *Desastre 18*.

Los estragos de la guerra

La principal reacción artística de Goya a la guerra será la serie de grabados titulada *Desastres de la guerra* y los dibujos que tienen que ver con ella, así como algunos cuadros. En la primera edición (póstuma) de la serie, publicada en 1863, los *Desastres* son ochenta grabados. Por razones que veremos, y a diferencia de los *Caprichos*, Goya nunca publica esta segunda serie de grabados, aunque imprime un volumen con pruebas, que confía (u ofrece) a su amigo Ceán Bermúdez, volumen formado por ochenta y cinco imágenes. Como en los *Caprichos*, todas llevan una leyenda, a menudo lacónica, que, más que explicar la imagen, incita a generalizar el sentido o a problematizarla, o formula un comentario irónico.

Los grabados se dividen temáticamente en tres grupos: violencia de la guerra propiamente dicha, efectos del hambre en Madrid, y un tercer grupo que parece tratar las reacciones tras la restauración de 1814 (que por ahora dejaremos de lado). Desde el punto de vista cronológico, estos grabados, los primeros después de los *Caprichos*, también se distribuyen en tres momentos. El primer grupo lo pintó a partir de 1810 (en cualquier caso, ésta es la fecha más antigua que aparece), el segundo grupo es posterior a 1812 (contiene tantas imágenes del hambre como de la guerra), y el tercero va de 1815 a 1819, quizá incluso a 1823. Goya encabeza el volumen con el siguiente título: «Fatales consecuencias de la sangrienta guerra en España con Buonaparte. Y otros caprichos enfáticos» (el título *Desastres de la guerra* lo elegirán los editores). La palabra *capricho* establece de entrada la continuidad respecto de los grabados de 1797-1798, y por lo tanto afirma el papel de la imaginación junto con la observación. En cuanto a lo de *enfáticos*, se cree que este término retórico equivale a algo así como 'alegóricos' y que alude a los grabados del tercer grupo.

El orden en que se colocan los grabados en absoluto es indiferente. Como en el caso de los *Caprichos*, Goya duda y hace cambios, como muestran los números grabados en las planchas, que no se corresponden con la ordenación final. Las imágenes del principio y del final ofrecen sugerencias sobre cómo interpretar la serie en su conjunto. Retomaremos más adelante las del final, que temáticamente aluden al periodo de la Restauración. Observemos de entrada el grabado que ahora encabeza la serie, aunque pertenece al grupo más tardío. *Desastre 1* (GW 993) muestra a un hombre arrodillado, con los brazos abiertos y la mirada abrumada hacia lo alto, en un entorno indeterminado pero siniestro en el que flotan varios espectros humanos. La leyenda dice: «Tristes presentimientos de lo que ha de acontecer». Esta imagen está en el lugar que ocupaba el retrato de Goya en los *Caprichos*, tanto el del hombre seguro de sí mismo, en la versión definitiva, como el invadido por las pesadillas de la versión inicial. Es legítimo pensar que este hombre que sufre y suplica, colocado en cabeza de los *Desastres*, es también una imagen –esta vez simbólica– del pintor, y que es el propio Goya el que tiene estos terribles presentimientos, el que, como Cristo en el huerto de los olivos, cuya pose imita, esperaba no tener que beber de ese cáliz.

Además del indicio que ofrece el término «capricho», estos datos podrían sugerir que las imágenes siguientes, lejos de ser una simple constatación de lo que el pintor ha visto durante los terribles años de la guerra, siguen explorando su mundo interior, habitado por demonios. Según esos indicios, Goya había imaginado esos «desastres», al menos en parte, antes de que empezara la guerra, es decir, en los años en los que representaba los horrores humanos. Sus sueños resultaron ser proféticos, ya que el mundo se volvió tan oscuro como ellos. Los estragos de la guerra que ahora muestra son la continuación del mundo de los brujos que había empezado a representar diez años antes. Por eso en esta época ya no necesita pintar demonios. Lo real ha atrapado su imaginación y no es necesario que nos muestre sus profundidades. ¿Para qué convocar al diablo cuando los hombres actúan de manera diabólica? La locura del mundo se ha unido a los delirios más desenfrenados del pintor, y ahora ambos forman un todo.

Llegamos a la misma conclusión cuando observamos los grabados. Es imposible que Goya (o cualquier otra persona) pudiera ser testigo presencial de todos esos maltratos, de ese espantoso catálogo de la violencia de la guerra. Probablemente ha visto sólo unos cuantos. Durante su viaje a Zaragoza, en 1808, y también más tarde, cuando huye de Madrid, en 1812 o 1813, debió de observar los resultados de los encarnizados combates entre soldados e insurgentes. En 1811-1812 no pudo evitar ver los cadáveres que cubrían las calles de su ciudad a consecuencia de la hambruna. En dos ocasiones Goya escribe en el grabado «Yo lo vi», pero incluso en estos casos la composición cuidada y equilibrada del grabado nos hace dudar de que sea una transcripción directa de sus impresiones. La verdad que reivindica es la del arte, no la de la copia de lo real. Por lo tanto, las pocas masacres que observa despiertan sus visiones anteriores. Su imaginación, por lo demás alimentada por los relatos que sin la menor duda circulaban, multiplica y diversifica las escenas que ha visto, lo que da origen a los *Desastres*.

No debemos ver en Goya a un precursor de los reporteros o de los fotógrafos de guerra. En esa época, y también durante la Restauración, el pintor se limita a explorar su memoria, que sin duda se ha alimentado de sus experiencias, pero no sólo. Tan decisivas como sus experiencias son los recuerdos antiguos, los relatos de sus contemporáneos, la lectura de obras históricas y las imágenes de otros pintores del pasado, a los que se añaden, por supuesto, los fantasmas personales. Los cuadros, grabados y dibujos de Goya surgen de lo que ha pensado y soñado, no de lo que ha visto. También en este caso el pintor no se dirige sólo al presente. Generaliza y da sentido a sus recuerdos e invenciones, y por eso nos llegan con tanta fuerza en la actualidad. La verdad del artista no es la del periodista. Como antes, emplea frases como «Yo lo vi» (en los *Desastres* 44-45) no porque pretenda ofrecer una precisión fotográfica, sino para testificar que los actos que representa son reales, y estos dos grabados no muestran las escenas más impactantes.

Circula otra insistente leyenda sobre los *Desastres*, que difícilmente puede defenderse si observamos las imágenes en conjunto. Pretende que estos grabados son la expresión del espíritu patriótico de Goya, que muestran a los españoles como víctimas inocentes y héroes valerosos, mientras que los franceses son bárbaros verdugos. Evidentemente, no todos comparten esta opinión. Lafuente Ferrari escribe: «Los que no se resignan a ser víctimas se convierten también ellos en verdugos en cuanto pueden, resistentes cuyas reacciones empujan a las peores crueldades [...] El valor excepcional de los *Desastres* consiste precisamente en que esta serie de grabados no está al servicio del patriotismo».[25] Es verdad que las víctimas españolas son más numerosas (las armas de los franceses están más perfeccio-

Fig. 12. «Con razón o sin ella», *Desastre* 2.

Fig. 13. «Lo mismo», *Desastre 3*.

nadas), pero la violencia y el sinsentido aparecen equitativamente repartidos entre los dos bandos.

Observemos cómo Goya demuestra esta tesis. Para que no nos confundamos, inserta al principio de la serie, inmediatamente después del grabado sobre los «presentimientos», dos grabados: el primero (*Desastre 2*, GW 995, **fig. 12**) muestra a soldados franceses ejecutando a insurgentes españoles, y el segundo (*Desastre 3*, GW 996, **fig. 13**), a combatientes españoles masacrando a franceses con hachas. Si todavía quedaban dudas sobre el sentido de esta yuxtaposición, quedarán disipadas al leer las leyendas, que ponen los puntos sobre las íes. La primera dice: «Con razón o sin ella», y la segunda se limita a decir: «Lo mismo». La primera masacre es «imperialista», y la segunda, «patriótica». Así, la serie de grabados establece de entrada la posible inversión de verdugos y víctimas. Recuerda también el papel marginal de las justificaciones que proporciona la razón, ya que la violencia es desencadenada por fuerzas que escapan a la razón.

Otros grupos de grabados ilustran también la proximidad de los protagonistas. *Desastre 32* (GW 1047) muestra a tres soldados franceses ahorcando a un «enemigo». La labor se les complica porque el árbol al que lo han colgado es demasiado bajo, sus pies tocan el suelo, de modo que los soldados lo empujan y tiran de él hasta que muere. La leyenda sólo dice: «Por qué?», pregunta que no espera respuesta, porque en la guerra el horror no responde a razones. Ciento treinta años después, Primo Levi oiría decir a una vigilante de las SS una ley que describe el régimen de Auschwitz: «Aquí no hay porqués». En la guerra de Goya tampoco los hay. Tres imágenes después, en *Desastre 35* (GW 1050), vemos a un grupo de españoles que han sido agarrotados. ¿Los han ejecutado los franceses u otros españoles que los consideraban traidores? En cualquier caso, les han puesto una cruz en la frente y en las manos (en esta ocasión se mata en nombre de Dios), llevan colgando del cuello la lista de sus delitos, y la manera de matar se ajusta a la costumbre española. Esta vez la leyenda dice (no pregunta): «No se puede saber por qué». Al parecer, para el pintor, el pretexto que se invoca en la condena escrita en el papel oficial no basta. Inmediatamente después, en *Desastre 36* (GW 1051), volvemos a ver a un español colgado, y la leyenda es continuación de la anterior, como si los protagonistas fueran los mismos: «Tampoco». Por su parte, *Desastre 16* (GW 1017) muestra a los insurgentes españoles desnudando a los soldados franceses a los que acaban de matar. La leyenda explica sobriamente: «Se aprovechan».

Hemos visto que, desde el punto de vista ideológico, la oposición de las dos fuerzas era irreductible. Los defensores de la Ilustración se enfrentaban a los que estaban al servicio de Dios, los que tenían ideas universales se diferenciaban claramente de los tradicionalistas. Pero Goya no se limita a tomar nota de los discursos que defienden unos y otros, sino que observa además sus actos. Y desde este punto de vista, entre ellos hay más similitudes que diferencias. En las luchas desaparecen los uniformes, los que luchan son intercambiables y los bandos se confunden. Las mismas atrocidades y el mismo sinsentido por ambas partes.

Para ilustrar las intenciones patrióticas de Goya suele citarse el grabado *Desastre 7* (GW 1000), que muestra a una mujer utilizando un cañón. Se ha creído que se trataba de un hecho histórico, que el grabado se inspiraba en Agustina de Aragón, que mientras los franceses sitiaban Zaragoza destacó por cargar los cañones. Sin embargo, de entrada observamos que se trata de la única imagen (de ochenta y cinco) que se ha vinculado a un acontecimiento concreto de la resistencia española. Además debemos recordar el contexto en el que aparece esta imagen dentro de la obra. El grabado es el último de una serie de cuatro, que muestran todos ellos cómo se comportan las mujeres durante la guerra. El primero, *Desastre 4* (GW 997), que representa a mujeres ayudando a los hombres, lleva una leyenda exclusivamente descriptiva: «Las mugeres dan valor». El siguiente, *Desastre 5* (GW 998), ofrece un texto mucho más ambiguo: «Y son fieras», lo que difícilmente puede considerarse un piropo, sobre todo teniendo en cuenta que la imagen muestra una despiadada masacre. Esta vez las mujeres participan activamente en el combate. Una de ellas se dispone a aplastar el cráneo de un soldado francés con una gran piedra; otra, aunque con una mano sujeta a la espalda a su hijo pequeño, con la otra hunde una lanza en el vientre de otro soldado. Los enemigos no se quedan pasivos. Otro soldado apunta a las mujeres con un arma de fuego. Podemos deducir que la leyenda de *Desastre 6* (GW 999), «Bien te se está», que muestra el cadáver de un soldado francés, no puede tomarse al pie de la letra, ya que son las mujeres que luchan las que hablan así, no Goya.

Esta interpretación queda reforzada por otro par de grabados, *Desastre 28* (GW 1040) y *Desastre 29* (GW 1042), que muestran dos momentos de una misma escena. En el primero, los insurgentes espa-

ñoles rematan a otro español tirado en el suelo. Se trata también esta
vez de un traidor, un colaboracionista, un afrancesado. Uno de los
verdugos le clava el arma en el ano. La leyenda dice «Populacho»,
término claramente peyorativo que designa la cara oscura del pueblo.
Esta diferenciación no es superflua. Al oponer los regímenes democráticos a los populistas, lo que se diferencia son las dos facetas de una
misma entidad. Los primeros consideran que el pueblo es el origen de
todo poder y el beneficiario último de su acción, y los segundos se
dejan guiar por las pasiones dominantes del momento. Los unos actúan teniendo en cuenta el interés general, aunque sea impopular, y los
otros halagan a la multitud.

En el grabado siguiente arrastran el cadáver, con los pies atados a
una cuerda, mientras siguen golpeándolo para seguir dando muestras
de su patriotismo. El sentido está claro: una vez concluido el lincha-
miento, puede empezar la marcha triunfal. La leyenda, «Lo merecía»,
es evidentemente irónica, y a la vez muy parecida al «Bien te se está»
de *Desastre 6*. Nos preguntamos pues si la del grabado «patriótico» de
la mujer del cañón, *Desastre 7*, que dice «Qué valor!», no debe entenderse también de forma irónica. Aunque defienda a los «nuestros»
frente a los «otros», a los «buenos» frente a los «malos», el cañonazo
que lanza la mujer provocará, como toda explosión, muerte y desola-
ción. Goya se dedica a ilustrar no las hazañas heroicas de los combatientes, sino las «fatales consecuencias de la sangrienta guerra».

Es además lo que muestran los grabados inmediatamente posteriores. En cuanto concluye la serie que ilustra la bravura militar de
las mujeres, las imágenes siguientes las representan en un papel más
habitual, el de víctimas de violaciones (*Desastres 9-11, 13* y *19*;
GW 1005-1007, 1011 y 1019). La leyenda de *Desastre 10* (**fig. 14**),
«Tampoco», remite a la anterior, «No quieren». La imagen muestra
un dramático amasijo de cuerpos en el que no se sabe de quién es
cada miembro. La transgresión de los contornos de los cuerpos parece hacerse eco de la transgresión de las reglas morales. Sin embargo,
el significado global de la escena no deja la menor duda de que se
trata de violaciones y muertes. Para las personas del siglo XXI estas
escenas evocan los relatos de violaciones colectivas y de masacres que
tuvieron lugar en Yugoslavia y en el Congo. Les recuerdan también
–aunque no es un consuelo– que esta forma de violencia no es un in-
vento reciente, y que tampoco está reservada a los pueblos exóticos.
La guerra trae consigo asesinatos, atrocidades y hambre.

Fig. 14. «Tampoco», *Desastre 10*.

El tono que impera en toda esta parte de los *Desastres* es un grito indignado ante este desencadenamiento de la violencia. Sólo los seis primeros grabados (*Desastres 2-7*) muestran combates. En el resto de la serie Goya representa a las víctimas, no a los que actúan, sino a los que sufren. Les dedica al menos la mitad de los grabados: víctimas de violaciones o del hambre (*Desastres 48-64*), de torturas o de ejecuciones, civiles huyendo de la violencia de los combates (*Desastres 41-45*) o dedicándose al pillaje, como los que desnudan o descalzan a los muertos y se abastecen sin necesidad de gastar (*Desastres 16, 24-25*; GW 1017, 1033 y 1035).

Goya muestra muchísimos cadáveres. Los montones de cuerpos desnudos evocan en nosotros las imágenes de los campos de concentración (Zoran Music, al salir de Dachau, decía que sólo podía encontrar una imagen de lo que había vivido en Goya). *Desastre 18* (GW 1020, **fig. 11**), uno de los grabados más antiguos, coloca ante nosotros una pila de cuerpos muertos, que contemplan dos testigos, seres humanos normales y por lo tanto desesperados, uno de los cuales podría ser el pintor, observador abrumado. El olor pestilente de los cuerpos en descomposición invade la imagen. *Desastre 60* (GW 1094), grabado que remite al periodo del hambre, es bastante parecido: una figura fantasmagórica de pie, extraviada, en medio de cadáveres. La leyenda dice: «No hay quien los socorra». Otro grabado, *Desastre 12* (GW 1009), muestra a un hombre al que la masa de cuerpos mutilados, en putrefacción, hace vomitar. La leyenda formula un epitafio desesperado: «Para eso habeis nacido». La leyenda de *Desastre 18* sólo dice «Enterrar y callar», pero esta simplicidad es elocuente, porque, frente a las víctimas, los discursos están de más. ¿Qué argumentos invocando causas justas o la necesidad de vengar la afrenta sufrida podrían legitimar tal hecatombe?

A las víctimas directas de la guerra se suman las del hambre entre la población civil, provocada por el sitio de Madrid, un desastre que tiene sus propias consecuencias: la reducción a la mendicidad, las violaciones y las muertes masivas. Una de las imágenes más impactantes muestra un solo cadáver, el de una mujer joven a la que trasladan tres hombres (*Desastre 50*, GW 1074, **fig. 15**), pero a cierta distancia la sigue una niña que se enjuga las lágrimas. Es la desesperación en estado puro, subrayada además por el tono gris que invade el grabado.

Otras imágenes de los *Desastres* muestran (es el tema más frecuente de la serie) escenas de ejecuciones individuales y colectivas por

Fig. 15. «Madre infeliz!», *Desastre 50*.

los medios más variados, en las que la imaginación humana parece darse libre curso, incluso el ensañamiento con cadáveres enemigos. *Desastre 33* (GW 1048) muestra a dos soldados franceses mutilando a un hombre desnudo con una daga. *Desastre 39* (GW 1055), titulado irónicamente «Grande hazaña! Con muertos!», muestra varios cadáveres cortados en trozos, como si estuvieran en una carnicería. Hoy en día se cree que esos cadáveres son de españoles ejecutados por «traidores» por otros españoles, porque en la prensa de la época, que Goya podía leer, se describían muchos casos de mutilaciones y descuartizamientos de este tipo. Veamos el texto de la sentencia contra dos «traidores» de un «tribunal popular» de Tarragona el 9 de julio de 1809: «Que sean condenados a la horca, que sus cadáveres sean arrastrados y decapitados, que se les corte la mano derecha y que sus cabezas y sus manos se coloquen a las puertas de la ciudad para que todos las vean y sirvan de ejemplo a otros villanos españoles».[26] Por el contrario, en *Desastre 37* (GW 1052) el hombre desnudo y empalado es sin duda víctima de los soldados napoleónicos a los que vemos al fondo. Al estar desnudas, las víctimas ya no pertenecen a ningún bando, y las justificaciones de esas masacres se evaporan. Todas estas escenas podrían agruparse bajo la leyenda de *Desastre 26* (GW 1037), que volveremos a encontrar en otra parte: «No se puede mirar», aunque es precisamente lo que Goya nos obliga a hacer.

Marina Tsvietáieva describirá en términos parecidos a las víctimas de la terrible guerra civil que en 1919 enfrentará en Rusia a los «rojos» y los «blancos»:

> Era blanco, pero ahora es rojo;
> la sangre lo ha enrojecido.
> Era rojo, pero ahora es blanco;
> la muerte lo ha blanqueado.[27]

Uno de los elementos más abrumadores de estas imágenes reside no en la violencia de los actos, sino en la indiferencia, incluso en la tranquilidad con la que se comportan sus protagonistas. *Desastre 36* (**fig. 16**) es ejemplar en este sentido. Lo que más nos impresiona no es el ahorcado del primer plano, ni los demás ejecutados tras él, sino el gesto distendido y tranquilo, por no decir pensativo, del soldado francés que ha supervisado la ejecución. Al espectador actual le recuerda a las famosas fotografías de Abú Graíb, en Irak. Más que los cuerpos

Fig. 16. «Tampoco», *Desastre 36.*

desnudos amontonados, torturados con descargas eléctricas o temblando de miedo ante perros, lo que impactaba era la sonrisa en los labios de aquellos chicos y chicas estadounidenses, bien alimentados y sanos, que no parecían tener el menor problema en torturar a prisioneros. El grabado de Goya lleva por leyenda «Tampoco», que remite a la del grabado anterior, que dice, retomando un tema que ya ha aparecido, «No se puede saber por qué».

Goya no sólo no representa el *pathos* patriótico, sino que se esfuerza por mostrar que la guerra es un «medio» que pesa más que cualquier «fin». De entrada, los que la desencadenan seguramente tienen razones que les parecen legítimas, objetivos que consideran necesario alcanzar. Pero la experiencia de la guerra es tan intensa que hace olvidar todo lo demás y arrastra en su torbellino tanto las decisiones anteriores como las justificaciones en nombre de los efectos que se pretenden. Lo que importa en una guerra es hacer la guerra, no la razón por la que se hace ni el beneficio que se consigue. La violencia de los actos neutraliza la ideología en nombre de la cual se llevan a cabo.

Las imágenes de Goya son de una brutalidad extrema. Las pocas comparaciones que se nos pasan por la cabeza permiten sobre todo captar mejor su originalidad. *Las miserias y desgracias de la guerra*, de Jacques Callot, que datan de 1633, muestran gran cantidad de masacres cometidas durante la guerra de los Treinta Años, pero no poseen ni la ambición ni la fuerza de las imágenes de Goya. Estos pequeños grabados desprovistos de valoración moral ofrecen una visión distante de lo acontecido, y no se nos muestra ningún detalle, ningún rostro, ningún sentimiento. Los grabados de los *Grandes Viajes*, de Théodore de Bry y sus colaboradores, publicados a partir de finales del siglo XVI, suelen representar las atrocidades que cometieron los conquistadores españoles durante la conquista de América, pero se trata de violencia infligida a «salvajes», no –como en el caso de Goya– a compatriotas.

También se nos pasan por la cabeza las imágenes que ilustraban la vida de los mártires cristianos o la de Cristo, en las que se representaban los cuerpos mutilados y desmembrados en un contexto religioso o mitológico. En los *Desastres de la guerra* se observa que Goya conocía bien esta tradición de la pintura cristiana. Pero en ella se supone que el sufrimiento de las víctimas ilustra la fuerza de la fe y muestra la grandeza de Dios, mientras que en Goya es vano, totalmente desprovisto de justificación. Estos desastres remiten no a un orden superior, sino a su ausencia. No tienen nada que ver con sacrificios purificadores (suponiendo que los haya), sino con masacres que generan otras masacres. La guerra y la concatenación de atrocidades que deriva de ella ya no pueden servir a un objetivo noble, y sólo muestran la violencia a la que pueden llegar los hombres (y algunas veces las mujeres). Es del todo inútil buscar quién ha empezado, quién defiende ideales superiores o quién tiene un objetivo más sagrado que el otro, porque, en la violencia, los enemigos que creían que nada tenían en común en realidad se parecen. Como hemos visto, la leyenda de *Desastre 2* decía que se mata con razón o sin ella, indistintamente, lo que básicamente quiere decir *sin razón*. Pero ausencia de razón no significa ausencia de causa, y por eso Goya pinta estas imágenes, en las que intenta buscar la cara oscura del ser humano.

Éste es el cáliz amargo que el autor de los *Desastres*, que en la primera imagen del volumen se representa a sí mismo como un Cristo moderno, acepta de mala gana apurar hasta el fondo. No sugiere que él morirá en la cruz. Su doloroso destino consiste en que ha visto por anticipado los horrores por venir, que los ha visto a su alrededor y que ha sentido que tiene una misión: mostrar a los hombres el mal que son capaces de hacer. Su labor es tanto más abrumadora cuanto que, a diferencia de su lejano modelo, Goya en ningún caso indica que crea en una posible salvación, en la resurrección de los cuerpos o la inmortalidad del alma. La muerte cuyas formas muestra parece definitiva, y el pintor no ofrece el menor consuelo.

El relato de guerra es trepidante. Recrea un lugar en el que se despliegan el coraje, la fuerza y la solidaridad, pero la guerra en sí –y lo que Goya aspira a mostrar en sus imágenes son sus efectos– hace que se pierda el sentido de las acciones humanas concebidas en tiempos de paz. Quizá por primera vez en la historia de la pintura, la guerra está desprovista de todo brillo, de toda seducción. Es la puesta en escena de una masacre inmunda, no de un espectáculo heroico. En Goya no hay la menor tentación estetizante. Esos cuerpos desmembrados, esas mujeres violadas y esos colgados no son bellos. Nos opondríamos totalmente a las intenciones de Goya si al ver esos grabados, nos limitáramos a admirar su perfección gráfica. La reacción que quiere provocar es que la guerra es horrible. Despoja sus imágenes de toda otra función aparte de la de designar. Se abstiene de dar lecciones a los espectadores y pone en sordina sus propias reacciones. Evita dramatizar lo que muestra, porque el mundo ya se ha encargado de eso. No hace alarde de buenos sentimientos. El grabado que lleva por leyenda «Caridad»

(*Desastre 27*, GW 1038) es elocuente a este respecto. Esta importante virtud cristiana consiste aquí, de forma muy prosaica, en lanzar los cuerpos desnudos de los masacrados a una fosa. Goya tiene un solo objetivo: mostrar la verdad de la guerra, la violencia humana que se desata en ella y la destrucción de todos los valores de las relaciones en tiempos de paz.

El propio espacio parece alterado. Los árboles que vemos esporádicamente están también mutilados, y no diferenciamos bien el cielo de la tierra. A este respecto el grabado más sorprendente es *Desastre 30* (GW 1044, **fig. 17**), con la leyenda «Estragos de la guerra», título en el que se inspiraron los primeros editores de la serie. Los cadáveres de mujeres y hombres despedazados parecen de nuevo astronautas flotando en estado de ingravidez. Entre el montón de cuerpos vemos un sillón y otros objetos. ¿Es efecto de un cañonazo que ha caído en la casa? La imagen del caos resultante nada tiene que envidiar al *Guernica* de Picasso y forma un símbolo inolvidable de la destrucción de la guerra. Se masacra no sólo a los seres humanos, sino también el espacio en el que han vivido, y en el que viven además el pintor y los espectadores de estas imágenes. La pérdida de referencias materiales es como la consecuencia de la desaparición de toda referencia moral. Las imágenes que Goya pintó y grabó forman una serie sin precedentes, tanto por los detalles que muestran como por la calidad del trazo.

Algunos dibujos de esta misma época refuerzan esta impresión. Uno de ellos debió de realizarlo con vistas al *Desastre 21*, «Será lo mismo», aunque el grabado final es bastante diferente. En el dibujo (GW 1028, **fig. 18**), al que el lavado sepia otorga una fuerza expresiva inmediata, vemos un combate en el que los muertos y los vivos se parecen, en el que es imposible saber a qué bando pertenece cada contendiente. Sus gestos hablan, pero sus rostros están mudos. El cielo es negro y la tierra blanca. O también en GW 1148, otro sepia negro, en el que el combate está más avanzado. Un contendiente está en el suelo, y su angustia se concentra en el gesto de su mano izquierda y en la expresión de su rostro. Otro se dispone a masacrarlo, aunque quizá sucumba antes a consecuencia de los golpes de un tercer agresor. Una vez más los medios utilizados logran de forma admirable el objetivo del pintor, la impresión de rapidez de la pincelada imita la precipitación de los combates. Tanto la mezcla de formas como el juego de blanco y negro permiten fijar para siempre el caos y la violencia de la guerra.

Fig. 17. «Estragos de la guerra», *Desastre 30*.

Fig. 18. *Será lo mismo.*

¿Por qué pintó Goya los *Desastres de la guerra*? Nos da la impresión de que la respuesta a esta pregunta es sencilla: porque no podía hacer otra cosa. Haber vivido y observado esta experiencia hizo de él un testimonio valioso. Como los supervivientes de los campos de concentración, que al salir sienten que tienen una misión –contar lo que han visto para que la humanidad sepa hasta dónde puede llegar–, Goya sintió la necesidad de lanzar un grito angustiado. Es su manera de solidarizarse con todas las víctimas, y también de mostrar que no se está obligado a matar como respuesta a las matanzas. Renunciará a publicar estas imágenes, pero eso no merma su decisión de grabarlas y conservarlas. Seguramente se dijo que algún día llegarían a sus destinatarios (lo que sucedió treinta y cinco años después de su muerte). Como la botella que se lanza al mar con un mensaje valioso, su informe sobre la guerra acabó llegando a tierra, donde los nuevos habitantes lo encontraron y lo descifraron.

1. *El albañil herido*, 1786, Madrid, Museo del Prado, GW 266.

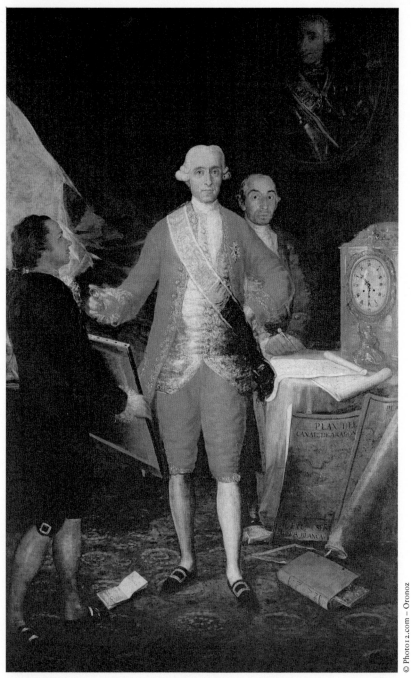

2. *El conde de Floridablanca*, 1783, Madrid, Banco de España, GW 203.

3. *Los cómicos ambulantes*, 1793, Madrid, Museo del Prado, GW 325.

4. *El asalto de la diligencia*, 1793, colección particular (Madrid, Banco Inversión-Agepassa), GW 327.

5. *Interior de cárcel*, 1793, Barnard Castle, Bowes Museum, GW 929.

6. *El corral de locos*, 1793, Dallas, Texas, Meadows Museum, GW 330.

7. *El incendio*, 1793, colección particular (Madrid, Banco Inversión-Agepassa), GW 329.

8. *La lámpara descomunal*, 1797-1798, Londres, National Gallery, GW 663.

9. *El conjuro*, 1797-1798, Madrid, Museo Lázaro Galdiano, GW 661.

10. *Hospital de apestados*, 1800-1810, colección particular (Madrid, marqués de la Romana), GW 919.

11. *Bandidos fusilando a prisioneros*, 1800-1810, colección particular (Madrid, marqués de la Romana), GW 918.

12. *Bandido desnudando a una mujer*, 1800-1810, colección particular (Madrid, marqués de la Romana), GW 916.

13. *Bandido asesinando a una mujer*, 1800-1810, colección particular (Madrid, marqués de la Romana), GW 917.

14. *Escena de rapto y asesinato*, 1800-1810, Frankfurt, Kunstinstitut, GW 930 (detalle).

15. *Fusilamiento en un campo militar*, 1800-1810, colección particular (Madrid, marqués de la Romana), GW 921.

16. *Escena de canibalismo*, 1800-1810, Besançon, Musée des Beaux-Arts, GW 923.

17. *Casa de locos*, 1814-1816, Madrid, Academia San Fernando, GW 968.

18. *El entierro de la sardina*, 1814-1816, Madrid, Academia San Fernando, GW 970 (detalle).

19. *Autorretrato con Arrieta*, 1820, Minneapolis, Fine Arts Museum, GW 1629.

20. *Jesús en el huerto de los olivos*, 1819, Madrid, Escuelas Pías, GW 1640.

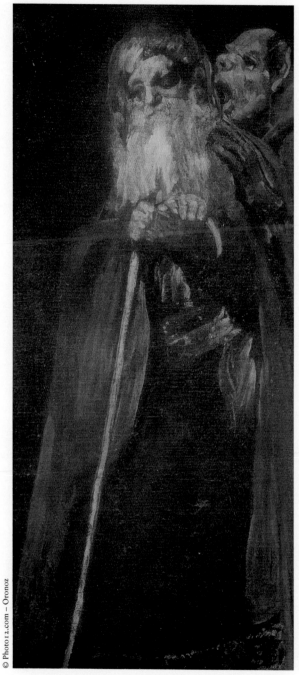

© Photo12.com – Oronoz

21. *Dos viejos*, 1820-1823, Madrid, Museo del Prado, GW 1627.

22. *Saturno*, 1820-1823, Madrid, Museo del Prado, GW 1624.

23. *El perro*, 1820-1823, Madrid, Museo del Prado, GW 1621.

24. *La lechera de Burdeos*, 1826-1827, Madrid, Museo del Prado, GW 1667.

Asesinatos, violaciones, bandidos y soldados

El inventario de los bienes de Goya en el momento en que muere su mujer, en 1812, permite hacerse una idea aproximada de los cuadros que había pintado en los años anteriores. Entre ellos, algunos parecen relacionados con los acontecimientos en curso (los catalogados como GW 914-946), y algunos otros forman en el inventario un grupo llamado «doce horrores de la guerra». Pero no sabemos cuándo los pintó, y es posible que varios de ellos sean anteriores a la «sangrienta guerra», que empezó en 1808. Goya puede haberse inspirado en lo que observa y en lo que le cuentan, pero también en lo que llama «tristes presentimientos», sus temores a las «fatales consequencias» de la violenta naturaleza humana. Sus cuadros son, como hemos visto, no el reflejo directo de los acontecimientos que tienen lugar, sino el resultado de las reflexiones que le han suscitado.

Algunos cuadros se quedaron en el estudio del pintor, y otros los vendió a aficionados, pero los pintó todos por propia iniciativa. No son producto de encargos. Forman parte de la vertiente personal, privada e íntima del pintor desdoblado en el que se convirtió Goya. Como en los grabados, no muestra a combatientes heroicos, sino a impotentes víctimas de la violencia generalizada, tanto si adopta el rostro de la guerra como si no. Desde 1793 pretende sacar a la luz la verdad del mundo en el que vive, y para ello representa a seres que pueblan sus márgenes, a criminales, prisioneros y locos (**ils. 4-6**). Vemos a prisioneros en varios cuadros nuevos, como el que muestra a un pequeño grupo de personas abrumadas tras un hombre atado (GW 933), o el de una mujer en una celda esperando a que la ejecuten (GW 915). Encontramos una bóveda parecida a la de las cárceles, iluminada por una ventana al fondo, en un cuadro en el que identificamos a los personajes como apestados encerrados en un hospital (GW 919, **il. 10**). En sus gestos observamos la misma desesperación que en los de los detenidos. Nunca saldrán de ese lugar. Aquí los moribundos se mezclan con los cadáveres.

Algunas otras escenas remiten de forma más directa todavía a los temas de los *Desastres*. La guerra civil no sólo ha causado víctimas entre los que luchan, sino que ha eliminado todo orden social y ha abolido las reglas de la vida en común. La ley ha quedado sustituida por la fuerza bruta. Pero desde hace ya años España es presa de bandas que escapan a todo control (estamos todavía en el mundo de *El manuscrito encontrado en Zaragoza*). Goya ha dejado varias series de pequeños cuadros que tratan de las diferentes fases de los violentos enfrentamientos que se suceden. Una de ellas se inicia con un incidente que había tenido mucha repercusión en la época (en 1806): un bandido desarmado y detenido por su víctima, un religioso. Seis cuadros (GW 864-869) ilustran el acontecimiento como un cómic. Otra serie de tres cuadros, que puede ser anterior, trata de la desgracia de un grupo de viajeros asaltados por bandidos, tema que Goya ha abordado ya en varias ocasiones, como en *El asalto de la diligencia* (il. 4). Esta vez la agresión es especialmente brutal y muestra con crudeza sus consecuencias. El primer cuadro de la serie (GW 918, il. 11) representa una ejecución. Uno de los hombres que van a ser ejecutados está ya en el suelo, implorando. El otro, con los ojos vendados, reza. A los bandidos no parecen conmoverles sus súplicas lo más mínimo, ni tampoco la intervención de una mujer que intenta ablandarlos. Enseguida hablarán las armas.

La escena siguiente (GW 916, il. 12) se sitúa dentro de una especie de gruta, seguramente la guarida de los bandidos. Ya han eliminado a los hombres, y ahora les toca a las mujeres sufrir su suerte. Un bandido está violando a una de ellas, totalmente desnuda. Otro está quitándole la ropa a otra mujer. Un tercer bandido vigila mientras espera su turno. La mujer que ocupa el centro del cuadro está situada de frente al espectador, que es arrastrado dentro de la imagen, como si formara parte de ella. Finalmente, el tercer cuadro (GW 917, il. 13) muestra el último acto de esta siniestra secuencia: un bandido, inclinado sobre la mujer desnuda a la que ha violado, acaba de apuñalarla y la mujer está ya sangrando. Este tríptico es memorable no sólo por la precisión con la que muestra los cuerpos y la violencia de los actos que representa, sino también por los elementos del marco natural que los rodean, que evocan el caos que precede o rodea todo orden, quizá también en el cuerpo humano. Dominan los colores oscuros, con escasos trazos claros: ropa, los restos de una hoguera, la sangre, que brilla. En lugar de la vista panorámica que observábamos en *El asalto de la diligencia*, disponemos aquí de tres primeros planos, lo que aumenta todavía más el impacto emocional de las imágenes.

Otros dos cuadros representan episodios parecidos, aunque no sabemos en qué orden debemos verlos. Dos mujeres medio desnudas son violentadas y arrastradas por hombres armados, y un niño que grita intenta en vano retener a una de ellas (GW 931). Otro niño intenta impedir que los hombres violen a su madre, medio desnuda y tirada en el suelo. Cadáveres de mujeres desnudas cuelgan de los pies en árboles de los alrededores, lo que anuncia la suerte que le espera a la próxima víctima (GW 930, **il. 14**). Estas imágenes se hacen eco de grabados como *Desastre 11*. Goya no presenció estos asaltos ni estas violaciones, y seguramente nunca entró en cárceles ni en calabozos. Se enteró de que estos hechos tenían lugar, y a partir de ahí su imaginación se encargó de proporcionar el contexto exacto de las imágenes.

Por consiguiente, las escenas de guerra no rompen con este conjunto. *El fraile ahorcado* (GW 932) representa a cuatro personajes: un soldado descolgando el cadáver rígido de un fraile, y dos mujeres que acuden gritando. *Escena de guerra* (GW 948), que forma parte de un conjunto de cuadros que pueden verse en Buenos Aires y del que algunos dudan que sea obra de Goya, es uno de los raros ejemplos de una imagen de batalla. Los dos grupos enfrentados están tan cerca entre sí que sería imposible que los fusiles fallaran el blanco. Están colocados en dos hileras frente a frente, como en una imagen en espejo. A la derecha los hombres armados están colocados de forma muy similar a los soldados del cuadro *El 3 de mayo de 1808* (GW 984), con la diferencia de que a la izquierda, en lugar de a las víctimas impotentes, vemos a otros soldados. Los dos grupos, hermanos enemigos, disparan a la vez. Ante las dos hileras hay varias personas que no participan en la contienda, pero la sufren. Una mujer abre los brazos, lo que recuerda a la víctima con los brazos en cruz de *El 3 de mayo*, pero aquí un niño se aferra a su ropa. Otra mujer está muerta a sus pies. Una tercera está arrodillada, con las manos juntas, rezando. Frente a ella, un hombre también arrodillado recibe los golpes de un soldado. Detrás de los que luchan vemos una figura misteriosa que les da la espalda, con los brazos en alto, como si fueran alas. Esta figura, desprovista de colores y de contornos inciertos, parece encarnar a un ser sobrenatural, un espíritu desesperado que aparta la mirada de la masacre que tiene lugar a dos pasos de él.

Otra escena (GW 921, **il. 15**) muestra un campamento militar. Los agresores (¿bandidos?) disparan sobre un grupo de soldados. En el suelo los cadáveres se mezclan con los heridos. Se llevan a un hombre que apenas respira. Una mujer que debía de estar con los soldados intenta escapar. Va descalza y lleva en brazos a un bebé que grita. En este cuadro encontramos elementos de varios grabados de los *Desastres de la guerra*: la hilera de fusiles, a la derecha, que van a disparar de un momento a otro, como en *Desastre 26*; los civiles escapando del tiroteo y prestándose ayuda unos a otros, como en *Desastre 41*; y los habitantes de los pueblos, que salen corriendo para salvarse, también aquí con una madre y su hijo en primer plano (*Desastre 44*). En el cuadro, el rostro de la mujer, aunque reducido a simples trazos, es uno de los más inolvidables que ha pintado Goya jamás. Le han bastado tres toques de pincel. Los rasgos de esa mujer aterrorizada se incrustan para siempre en nuestra memoria, un poco como, mucho más cerca de nosotros, sucede en la famosa fotografía de Nick Ut que muestra a una niña vietnamita de nueve años huyendo desnuda de su pueblo, bombardeado con napalm. Los historiadores actuales identifican a los protagonistas de estos cuadros unas veces como bandidos, otras como soldados. Es evidente que Goya no diferencia demasiado entre bandidos profesionales y militares que vagan por el país. Son siempre hombres armados los que imponen su voluntad a los demás sin contemplaciones, y en todas partes sus víctimas son civiles, mujeres y niños. Observamos que en las escenas de violaciones, como en las demás, Goya no representa los órganos genitales del hombre (ni de la mujer). Lo que le interesa es el gesto, no la anatomía.

Una serie de cuatro cuadros, que datan también de la primera década del siglo XIX, muestra formas de violencia totalmente diferentes, las de los «salvajes» de América. Quizá Goya recuerda relatos de masacres que cometieron los indios (de los que en su época se dice que son antropófagos) en el continente americano, lo que le permite adentrarse en el tema del canibalismo. Aunque, a decir verdad, no lo necesita, porque en esos momentos el salvajismo se desata en España, y además ahora sabe que puede esconderse dentro de todos nosotros. ¿No es lo que indican los rasgos europeos de esos salvajes desnudos a los que vemos cortando la cabeza a una mujer también desnuda (GW 924), descuartizando alegremente a dos muertos, uno colgado y otro tirado por el suelo (GW 922), e incluso agitando la cabeza y la mano que un hombre acaba de cortar, mientras varias mujeres presencian la escena tranquilamente (GW 923, il. 16)? ¿Cómo no pensar en los grabados de los *Desastres* que mostraban cuerpos desnudos descuartizados, por ejemplo *Desastre 39*? La postura de las piernas del hombre de este último cuadro recuerda también los gestos de las brujas (en el *Capricho 65*, **fig. 8**). Como los demás gestos de esos caníbales exóticos, es fruto de la imaginación de Goya, más que de la observación. Estas escenas –de bandidos, de guerra y de canibalismo– nada tienen de anecdótico. Goya no pretende estigmatizar determinados comportamientos deplorables, ni de los «salvajes» ni de los «civilizados». Muestra en sus diferentes formas la violencia en sí, propia de todas las comunidades humanas y que espera las circunstancias adecuadas para abrirse camino.

Goya no se limita a representar escenas de violencia extrema, sino que en sus cuadros violenta también las convenciones pictóricas. Sus pinceladas son vivas y desbordan los límites de las figuras. Su paleta es muy limitada, tiende a la monocromía, una mezcla fangosa de amarillo, marrón y verde oscuro cubierta de negro. Pasamos sin transición del suelo a los montones de piedras, de las copas de los árboles al cielo. A decir verdad, el cielo no es un cielo. Lo que emerge de la oscuridad son rocas inmensas, árboles fantásticos y terrenos inciertos. No reconocemos ningún paisaje conocido. La naturaleza no es más que la prolongación afectiva de la violencia humana, y no es menos deprimente que las salas abovedadas de las cárceles y los hospitales. En algunas ocasiones las figuras de los soldados-bandidos son realistas, pero otras sus siluetas se difuminan y parecen fantasmas. Captamos sus expresiones, pero los rostros no están individualizados. De nuevo la abolición de las leyes morales parece haber ocasionado que las leyes físicas se tambaleen.

Un cuadro más enigmático del mismo periodo, del que hoy en día se duda que sea de Goya, representa la guerra de manera alegórica. Se trata de *El coloso* (GW 946). En la parte inferior vemos a personas, vacas y caballos que salen huyendo, asustados por el gigante que ha emergido por encima de ellos. Pero ¿qué simboliza este gigante? No puede ser el pueblo español, ya que los personajes del cuadro, aterrorizados al verlo, intentan escapar de él. Tampoco Napoleón, porque los soldados franceses a los que Goya muestra en otros cuadros nada tienen de sobrenatural. ¿No será el espíritu de la guerra en sí, que habita tanto en el invasor extranjero como en los insurgentes españoles, un Marte sediento de sangre, pariente del Saturno que devora a sus hijos? Goya (o un pintor próximo a él) no dejó claves para descifrar el cuadro. Un grabado (GW 985) muestra un coloso parecido sentado en una media luna. Aunque parece más sereno, no por ello resulta más tranquilizador. Nada bueno cabe esperar de ese ser desmesuradamente poderoso, que permite visualizar la violencia oculta en el corazón de los hombres.

Estas imágenes –cuadros, grabados y dibujos– que representan los horrores de la guerra rompen de nuevo con la imagen que solemos hacernos del pensamiento ilustrado. Los *Caprichos* transforman la visión corriente del hombre porque sacan a la luz sus fantasmas y sus pesadillas, y muestran que su ser no está exclusivamente regido por la razón y la voluntad. Las imágenes de la guerra van más allá. Nos permiten ver que en determinadas circunstancias los pacíficos habitantes de las ciudades y del campo pueden convertirse en asesinos y en torturadores. Pero eso no quiere decir que los pensadores más lúcidos de la Ilustración no lo hubieran sospechado. A diferencia de lo que afirma una insistente leyenda, Rousseau sabe que la maldad es propia de los hombres que viven en sociedad (y todos viven en sociedad), que suelen tener la «oscura tendencia a perjudicarse mutuamente».[28]

En cualquier caso, es evidente que las cosas han cambiado desde la época en la que Goya atendía los encargos reales para los tapices y pintaba un pueblo imaginario formado por campesinos y ciudadanos felices que alternaban alegremente el trabajo con las fiestas pacíficas. Ahora sabe que el pueblo también tiene otra cara, la del populacho dispuesto a torturar a sus enemigos, a lincharlos y a descuartizar sus cadáveres. El pintor ha abierto los ojos no sólo ante los deseos inconscientes de los hombres, sino también ante los actos que son capaces de llevar a cabo. Sin embargo, a diferencia de Sade, cuyos escritos se deleitan haciendo un catálogo detallado de los sufrimientos que los hombres se infligen entre sí, Goya no siente la menor alegría. Se limita a representar fielmente los abismos humanos que ha entrevisto, y si provocan en él algún sentimiento, suponemos que es sobre todo la tristeza.

Goya no olvida que los peores crímenes se cometen en nombre de valores elevados: defender ideas liberales, la patria, la identidad tradicional, nuestra madre Iglesia o a Dios. Los bellos discursos y los magníficos programas nunca son garantía contra la violencia y la destrucción, ya que los medios para ponerlos en práctica anulan los objetivos iniciales. Peor que eso: la convicción sincera y apasionada de estar al servicio del bien y de contribuir a la felicidad de la humanidad proporciona a quienes la poseen una excusa óptima (y general) para justificar todas las exacciones futuras. ¿Qué importan algunos «daños colaterales» frente a la salvación de todos? Como había constatado Erasmo unos trescientos años antes, apoyar un objetivo muy deseable permite olvidar que los medios empleados para alcanzarlo nos alejan de él cada día. Cuando hablaba del papa y de los príncipes de la Iglesia, que se consideraban servidores celosos de la fe cristiana, constataba: «Hoy en día, como si Cristo hubiera desaparecido [...] defienden la Iglesia mediante la espada. Aunque la guerra es [...] tan pestilente que trae consigo la corrupción total de las costumbres, tan injusta que los que mejor la hacen son los peores bandidos, tan impía que es incompatible con Cristo, dejan de lado todo lo demás y sólo se ocupan de ella».[29]

Goya pinta los desastrosos resultados de esos nobles proyectos –ilustrar, luchar por la independencia y servir a Dios– y constata que la tentación del bien es más peligrosa que la del mal. El hecho de aspirar a la libertad –la del espíritu o la del país– no impide infligir sufrimientos y participar en crímenes. Por eso Goya equipara en sus imágenes a los que luchan por la libertad y por el bien con bandidos y caníbales. También a este respecto su lucidez adquiere para nosotros un aspecto profético.

Fig. 19. *Por liberal?*

Los desastres de la paz

En junio de 1813 las tropas al mando de Wellington vencen a las de José Bonaparte. Unos meses después Fernando vuelve a España y recupera el trono que había ocupado durante muy poco tiempo en 1808. Entretanto, Madrid está sumida en un ambiente patriótico. Goya se apresura a reposicionarse. En febrero de 1814 envía una solicitud a la Regencia, que detenta provisionalmente el poder, en la que, según el informe en la que consta, «manifiesta sus ardientes deseos de perpetuar por medio del pincel las más notables y heróicas acciones ó escenas de nuestra gloriosa insurrección contra el tirano de Europa; y haciendo presente el estado de absoluta penuria á que se halla reducido y la imposibilidad en que por consiguiente se ve de subvenir por si solo á los gastos de tan interesante obra, solicita que del tesoro público se le suministren algunos auxilios para llevarla á efecto». Como a menudo, Goya tiene dos objetivos. Por una parte, quiere mejorar su situación económica. Lo cierto es que cuando habla de «absoluta penuria» exagera mucho sus carencias. El inventario de 1812 demuestra lo contrario, pero hay que decir que Goya siempre se ocupó activa y eficazmente de sus ingresos. Por otra parte, quiere crearse una infalible reputación de patriota, quizá precisamente porque no lo ha sido, y por lo tanto pide representar un papel que nada tiene que ver con él, el de cantar grandes hazañas heroicas de sus compatriotas. El que aquí se expresa no es ya el autor de los *Desastres de la guerra*, sino su doble, el que considera (como Montaigne) que nada tiene de malo «arrodillarse» frente al poder absoluto.

Se le concederá su demanda y pintará dos cuadros sobre la insurrección, *El 2 de mayo de 1808* (GW 982) y *El 108*. Lo cierto es que estos cuadros no se ajustan tanto al espíritu heroico como cabría suponer de la propuesta de Goya. El primero muestra al pueblo de Madrid luchando contra los mamelucos, mercenarios de Napoleón, que, montados a caballo, intentan defenderse. Sus miradas reflejan el miedo, mientras que el rostro de los atacantes españoles expresa una resolución irrevocable: para vencer hay que matar. A diferencia de las escenas de batalla clásicas, en este caso nos vemos inmersos en plena contienda y nos cuesta un poco distinguir de quiénes son algunas partes de cuerpos, pero esta imprecisión refleja la confusión del propio combate. Goya no duda en exagerar en las dos obras las proporciones de los cuerpos y en colocarlos en posturas imposibles para reforzar su expresividad.

El segundo cuadro, *El 3 de mayo*, muy famoso y que se ha convertido en una especie de símbolo nacional español, muestra una ejecución. En este caso, la simpatía del pintor se dirige claramente a las víctimas, que se diferencian perfectamente de los ejecutores. La composición recuerda el *Fusilamiento en un campo militar* (il. 15), pero también varios grabados de los *Desastres*, con la hilera de fusiles a la derecha y las víctimas a la izquierda (como *Desastre 2*, fig. 12). Aquí los que matan no son españoles, sino franceses. Acaso los que mataban a los soldados de Napoleón en el cuadro *El 2 de mayo* son los fusilados por los franceses en *El 3 de mayo*. Los soldados están de espaldas, no tienen rostro ni individualidad, sólo están ahí para disparar los fusiles, perfectamente alineados y listos para disparar. Frente a ellos, la víctima del centro destaca gracias a su camisa blanca y a su pantalón amarillo. Como sugieren los brazos abiertos y los estigmas en las palmas de las manos, este hombre es un doble de Cristo crucificado. La propaganda católica de la época presentaba a Napoleón como a un Anticristo. Goya, fiel al pensamiento que expresaban sus grabados, inmortaliza la gloriosa insurrección no mediante un acto que ilustre su fuerza, sino con la imagen de un asesinato colectivo. La asimilación de la víctima a Cristo es impactante. Hay que decir que, en los pocos cuadros de Goya que tratan sobre la historia de Jesús, vemos al hijo de Dios impotente, convertido en una víctima expiatoria, como en el huerto de los olivos (GW 1640) y en el momento en que lo detienen (GW 737). Aun así, la similitud del insurgente español con Cristo no llega al punto de sugerir que se salvará en el reino de los cielos.

Aunque los gestos del ciudadano Goya en este periodo no están libres de reproches, eso no le impide pintar una obra maestra, *El 3 de mayo*, que en la actualidad se dirige a todo el mundo y cuenta la verdad de esos acontecimientos y de los sentimientos que suscitan.

Fernando vuelve a Madrid en mayo de 1814 y toma rápidamente varias decisiones que indican con qué talante va a reinar: deroga la Constitución adoptada en 1812 por los liberales que habían escapado de la ocupación francesa y restablece la Inquisición. El clero recupera todos sus privilegios. Una parte de la población aplaude este retorno a las viejas costumbres. Los liberales se exilian, al menos doce mil familias, entre ellas buena parte de la familia política del hijo de Goya. Se instauran comisiones de depuración ante las que todo el mundo debe demostrar que ha sido patriota durante la ocupación francesa. Goya encuentra a testigos complacientes que certifican que siempre ha sido fiel al monarca español y que por eso se ha visto obligado a vender sus joyas (dos mentiras piadosas). Al mismo tiempo, la Inquisición accede a los cuadros escondidos en el gabinete privado de Godoy y pide explicaciones a Goya sobre la *Maja desnuda*, pero como tiene relaciones bien situadas, consigue que se zanje el tema. Así pues, mantiene su puesto de pintor de la corte y el correspondiente sueldo.

Aunque dobla las rodillas, el espíritu se mantiene en pie. En estos mismos años Goya inicia dos ciclos de dibujos que representan su reacción ya no a los «desastres de la guerra», sino a lo que podríamos llamar los «desastres de la paz», no a la violencia que se desencadena en el campo de batalla, sino a la que tiene lugar en el seno de la sociedad española, que incluye la tiranía que ejercen la Iglesia católica y la Inquisición sobre la sociedad civil, las persecuciones que sufren todos los que habían elegido el bando contrario, la tortura y las ejecuciones. Uno de estos ciclos, que dibujó en los años 1810-1813, estará incluido en el álbum C. Se trata de páginas que Goya numeró del 85 al 109 (GW 1321-1345), veinticinco dibujos conservados en total. En 1816-1820 dibujará y grabará el otro ciclo, que formará la última parte de la serie *Desastres de la guerra* (grabados 65-78). Todas las imágenes que forman estos dos ciclos llevan leyenda, y también en este caso Goya prestará mucha atención al orden, que cambia en varias ocasiones.

El ciclo del álbum C empieza con un ataque contra el poder religioso, más concretamente contra la Inquisición. Vemos a sus víctimas ataviadas con los atributos de los culpables: una túnica de papel en la que se describen los «delitos» que han acarreado su condena, y el gorro cónico (coroza) que permite identificarlos desde la distancia. Las leyendas de estos dibujos indican las razones que se han alegado en los juicios: porque ha nacido en otro lugar, porque tenía libros prohibidos, por ser judío, por querer a una burra... Una imagen alude a la condena de Galileo. En dos de estos dibujos Goya indica que presenció el acontecimiento que ha representado: una bruja amordazada, acusada de saber hacer ratones (C 87, GW 1323), y un mendigo lisiado (C 90, GW 1326).

La presencia de este tipo de mención («Yo la bi en Zaragoza», «Yo lo conocí»), como también algunas veces en los *Desastres* («Yo lo vi»), ha alimentado la idea de un Goya periodista que se paseaba entre cadáveres y ejecuciones públicas con el cuaderno en la mano, captando las impresiones del momento. Pero nos preguntamos si el hecho de que estos comentarios sean tan escasos no indica que se trata de las únicas imágenes que corresponden a una escena en la que Goya estuvo presente, y que ese carácter excepcional justifica que lo mencione. Recordemos que la mayoría de estas imágenes no representan acontecimientos de su época que tienen lugar en la patria del pintor, sino el mal que el hombre puede hacer al hombre. En la época de Goya, incluso en los peores momentos, la Inquisición no tiene ya poder para organizar esos juicios, y todavía menos para torturar. Se limita a condenar las ideas y a estigmatizar a los individuos a los que considera peligrosos. Parece que los detalles sobre las prácticas inquisitoriales deben más a los estudios de un amigo de Goya, Juan Antonio Llorente, sobre la historia de la Inquisición que a las prácticas de su época (del mismo modo que las investigaciones de Moratín habían inspirado sus imágenes de brujos). Goya utiliza la Inquisición como símbolo intemporal del control de las mentes y de la capacidad de maltratar el cuerpo. Por esta razón el hecho de que no estemos seguros de las fechas de los dibujos –pudo pintarlos antes, durante o después de la guerra de 1808-1813– no tiene mayores consecuencias, ya que Goya se interesa por estos temas durante todas estas décadas.

Las alusiones a la autenticidad de los acontecimientos representados también son elocuentes en otro sentido. Aparecen al margen de dibujos que están destinados a que no los vea nadie aparte del pintor. ¿A quién se dirigen entonces esas leyendas, teniendo en cuenta que Goya sabe perfectamente que vio a esa mujer y conoció a ese hombre? Sin duda no al público de su época, sino al que Adam Smith llamaba a mediados del siglo XVIII «el supuesto espectador imparcial y bien informado»,[30] que está en la mente de toda persona de buena voluntad. A la vez que a los destinatarios reales, que algunas veces están totalmente ausentes, todo mensaje se dirige también a esta abstracción indispensable. Goya jamás la nombra, pero sentimos que es una pieza esencial de su universo interior. ¿Cómo si no podría seguir alimentando la parte secreta de su obra, que sus contemporáneos no conocen? El gran cuidado que pone en preservarla es como un acto de fe en la humanidad, pese a todos los crímenes que ha conocido.

El siguiente grupo muestra a prisioneros. Goya se siente atraído por este tema desde la época de los *Caprichos*, pero ahora vuelve a estar de actualidad. Los dibujos representan a prisioneros, hombres y mujeres, en pie, sentados o tumbados, atados por el cuello, las manos o los pies, en general solos, como en C 103 (GW 1339). La ventana es de rejas, y la puerta está atrancada. Entendemos que la leyenda diga: *Mejor es morir*. Algunas leyendas indican las causas del encarcelamiento. Una mujer joven está atada con pesadas cadenas a un poste. La leyenda pregunta: *Por liberal?* (C 98, GW 1334, fig. 19). Parece que las mujeres emancipadas se meten en política. Los torturadores han tirado por el suelo a otra mujer, al fondo de una oscura celda. ¿Su delito? *Por casarse con quien quiso* (C 93, GW 1329). Está claro que las excusas de los castigos debían formularse de otra manera: porque amenaza el orden público, porque transgrede las normas establecidas... Un dibujo audaz muestra a un joven cubierto con una manta al fondo de su celda, donde está atado a la pared. El único mobiliario es una jarra de agua. Sabemos por qué lo han encerrado: *Por no haber escrito para tontos* (C 96, GW 1332). Su delito es pues exclusivamente ideológico, porque sus escritos se dirigían a los liberales, no a los reaccionarios. Con su ejemplo vemos la connivencia de los poderes religioso (el que condena) y civil (el que encarcela). La Inquisición no dispone de tribunales, no controla a la policía y no monta hogueras en las que quemar a los herejes, pero todo el aparato de la justicia está bajo su influencia, y es ella la que ordena que se encarcele, se torture y se ejecute.

Sentimos deseos de decir que la cárcel es inhumana, pero fueron los hombres los que la inventaron y los que siguen utilizándola. Incluso inventaron algo peor: la tortura. Su estigmatización es un motivo que suele aparecer en los escritos de los ilustrados, que conocen *De los delitos y las penas*, de Beccaria. Jovellanos incluso escribió una comedia sobre delitos y castigos. En Goya pasamos sin transición del encierro a la tortura. Los prisioneros están encadenados en posiciones tan incómodas que no cabe la menor duda de que el objetivo de la cárcel no es impedirles que hagan daño, sino hacerlos sufrir. Algunas imágenes van más allá e ilustran el ingenio de los hombres cuando se trata de causar dolor a otros hombres. El dibujo C 101 (GW 1337) lleva por leyenda *No se puede mirar* y muestra a un hombre atado con dos cuerdas. Una, anudada alrededor de los tobillos, lo obliga a estar cabeza abajo, y la otra le sujeta las manos. Otra imagen del mismo álbum (C 108, GW 1344, **fig.** 20) ilustra torturas dignas de Abú Graíb: una polea tira de cuerdas atadas a las manos y a los dedos de los pies del prisionero, que tiene alrededor del cuello otra cuerda atada a otra polea. Nos preguntamos si morirá ahogado o porque se le romperán los órganos internos. En un álbum de la misma época, llamado «F», pintado en sepia en su totalidad, vemos otra tortura refinada: el torturador hace girar una polea, y el torturado está atado al otro extremo de la cuerda con las manos a la espalda. Se trata del suplicio de la estrapada (F 56, GW 1477).

Seguramente Goya no había visto los cuadros de Alessandro Magnasco, el pintor genovés que en la primera mitad del siglo XVIII había representado suplicios parecidos, también atribuidos a la Inquisición, y además es poco probable que pudiera presenciar este tipo de escenas. Sus dibujos pretenden mostrar no estas técnicas con precisión histórica, sino la verdad de las experiencias humanas. Pensamos de nuevo en *El manuscrito encontrado en Zaragoza*, de Potocki, en el que un inquisidor amenaza así al protagonista del libro, que se obstina en permanecer en silencio: «¿No dices nada? [...] Vamos a hacerte un poco de daño. ¿Ves estas dos planchas? Pues te meteremos dentro las piernas y te las apretaremos con una cuerda. Después te meteremos entre las piernas estas cuñas que ves aquí y las hundiremos a martillazos. Primero se te hincharán los pies, después te sangrarán los dedos de los pies y se te caerán las uñas. Después te reventarán las plantas de los pies y veremos salir de ellas una grasa mezclada con carne aplastada [...] ¿No me contestas? Pues todo esto no es más que lo normal».[31] Estas torturas no se practican ya en la época de nuestros autores, pero se han practicado, y lo que ha existido siempre puede volver.

Primero se encarcela a los delincuentes, luego se los tortura y por último se los mata. Los *Desastres* ilustraban las múltiples mane-

Fig. 20. *Que crueldad.*

ras de matar en tiempos de guerra. Una vez ha vuelto la paz, no se cuelga, ni se fusila, ni se destripa, ni se despedaza a los enemigos. Se mata a los delincuentes agarrotándolos. Esta forma de ejecución, que en la época se consideraba la más misericordiosa, había llamado la atención de Goya antes de 1792, como muestra el primer grabado suyo que conservamos, que representa a un agarrotado (GW 122). Varios grabados de los *Desastres* (34-35, GW 1049-1050) muestran que esta manera de matar tampoco se descartaba en tiempos de guerra.

Un dibujo del álbum C que lo ilustra (C 91, GW 1327, **fig.** 21), con la leyenda *Muchos an acabado así*, no nos ahorra ningún detalle. Vemos al condenado atado a su asiento. El verdugo, detrás de él, aprieta con todas sus fuerzas el mecanismo del garrote, y los jueces observan tranquilamente cómo se ejecuta el veredicto. Por último, detrás de estos personajes del primer plano están los numerosos espectadores, convertidos en una multitud anónima que ha ido a presenciar esta muestra pública de la violencia que se inflige a un hombre. «No se puede mirar», decía Goya, frase que emplea en varias ocasiones, por ejemplo en *Desastre 26*, aludiendo a una ejecución, pero precisamente por su causa no dejamos de hacerlo. Admiramos sus imágenes y nos quedamos fascinados, pero nuestra reacción no es equivalente a la del público. La multitud forma parte del movimiento que conduce a la ejecución, ha ido a presenciar cómo se cumplen sus deseos. Al espectador que simplemente contempla las imágenes le llama la atención el espectáculo de la violencia, pero como no se enfrenta al acto en sí, sino a una representación, puede cambiar de lugar y descubrir estupefacto y aterrorizado lo que los hombres son capaces de infligir a otros hombres.

En los últimos grabados de los *Desastres* el principal blanco son los poderes civil y religioso, que ahora sabemos que forman una sola entidad teológico-política. El carácter de las imágenes es diferente del que imperaba en la primera parte de la serie, y pasamos aquí de la compasión por las víctimas a la sátira de los opresores. Los actos de los que detentan el poder mantienen al pueblo –¿o al populacho?– en la ignorancia y la estupidez. Varios grabados tienen relación con la temática de los *Caprichos*, ya que caricaturizan las fuerzas oscurantistas, las cubren con máscaras grotescas o las convierten en animales amenazadores, como murciélagos, gatos, lobos, burros o aves de presa. Las leyendas no dejan lugar a dudas respecto de

Fig. 21. *Muchos an acabado así.*

cómo interpretar estas imágenes. «Contra el bien general», dice una de ellas. El grabado muestra a un hombre con alas de murciélago escribiendo aplicadamente en un gran cuaderno (*Desastre 71*, GW 1116). «Farándula de charlatanes», anuncia otro, que muestra a un eclesiástico con la cabeza de un ave de presa, rodeado de un burro, un lobo, un papagayo y frailes de rasgos simiescos (*Desastre 75*, GW 1124). Parece rezar con devoción, pero la leyenda nos advierte que es una farsa.

Las pocas imágenes que representan escenas realistas van en el mismo sentido. Los fieles prosternados ante reliquias y la decoración de una iglesia hacen que Goya exclame: «Extraña devoción!» (*Desastres 66-67*, GW 1106 y 1108). Las mujeres situadas en el centro de *Desastre 65* (GW 1104) están amenazadas tanto por los perros que las atacan como por los soldados (?), que están tomando notas. *Desastre 70* (GW 1114) muestra una fila de hombres –frailes, curas, nobles y burgueses– parecidos a los ciegos de Bruegel, atados entre sí con una cuerda de la que tira un fraile, que se adentran en una grieta abierta en medio del paisaje desolado. ¿Podría ser un grupo de simpatizantes del régimen anterior, amigos de los franceses y de los ilustrados, que se dirigen ahora a una cárcel lejana? ¿O son, por el contrario, sus adversarios, que conducen al pueblo español por un callejón sin salida, sometido a sus nuevos amos? La leyenda sólo nos advierte: «No saben el camino». Esos guías difícilmente podrán salvarlos. Pero no hay que pensar que el pueblo tiene mucho más valor, ya que se somete dócilmente a los poderosos del momento. En otro grabado, *Desastre 74* (GW 1122), que lleva por leyenda «Esto es lo peor!», el lobo al que la multitud adora escribe en una gran hoja: «Mísera humanidad, la culpa es tuya», una frase que Goya ha tomado prestada para la ocasión del poeta Casti, pero que no podemos decir que se atribuya, porque Goya no es un simple misántropo.

Entre estas imágenes está también la que en un principio Goya pensaba colocar al final de la serie, que muestra los efectos de la guerra y del hambre: *Desastre 69* (GW 1112, **fig. 22**). Su presencia actual entre los grabados sobre las fechorías de la paz hace que su alcance sea todavía más amplio. El grabado representa a un muerto acompañado de máscaras fantasmagóricas que gesticulan y de una balanza de la justicia. El muerto sujeta en la mano izquierda una corona de paja, y con la izquierda –pese al avanza-

Fig. 22. «Nada. Ello dirá», *Desastre 69*.

do estado de descomposición– ha conseguido escribir en una tablilla la palabra *nada*, que Goya confirma en la leyenda: «Nada. Ello dirá».

El primer biógrafo de Goya, Laurent Matheron, comenta una anécdota que quizá le contó Antonio Brugada, en cuyo caso procedería del viejo pintor: un prelado vio este grabado y felicitó al autor por haber dibujado una bonita vanidad. Al parecer, Goya le respondió: «Mi resucitado quiere decir que ha hecho el largo viaje, pero no ha encontrado nada».[32] Ningún consuelo, ningún conocimiento podrán atenuar nuestra reacción ante la muerte. La armonía divina ha desaparecido sin dejar rastro, los honores humanos no duran y la justicia es impotente. Este juicio final no separa a los justos de los pecadores, porque constata que tras la muerte no queda nada. El mensaje de ultratumba confirma la nada que ponen de manifiesto los horrores de la guerra.

En el ejemplar de pruebas de los *Desastres* que entregó a su amigo Ceán Bermúdez, Goya colocó al final tres imágenes de prisioneros, con leyendas elocuentes, que ponen el acento no en el delito que se pretende castigar, sino en la violencia del castigo: *Tan bárbara la seguridad como el delito* (GW 986), *La seguridad de un reo no exige tormento* (GW 988) y por último *Si es delinquente que muera presto* (GW 990).

Haber incluido estas tres imágenes en los *Desastres*, tras las catorce sátiras anticlericales, confirma el cambio de sentido de toda la serie. Los dibujos satíricos y alegóricos que concluyen los *Desastres* denuncian no ya la guerra, sino lo que siguió, la tiranía de los hombres de Estado y los eclesiásticos que gobiernan España. Goya postula así la continuidad entre los tiempos de guerra y los de paz, y centra su interés en las «consecuencias fatales» de la invasión, incluidas las actuaciones del poder estatal legalmente establecido. Una vez que la violencia se ha manifestado abiertamente en la vida pública de un país, se mantiene durante mucho tiempo y provoca réplicas no menos impresionantes que la explosión inicial. La contrarrevolución no es menos sangrienta que la revolución, ni el contraterrorismo que el terrorismo. La represión no es menos cruel que el delito que castiga. El poder ha cambiado de manos, pero la brutalidad de los actos se mantiene. La conducta de los hombres no parece depender de sus convicciones, ya que ambos bandos son devorados por el mismo furor. Todos reivindi-

Fig. 23. «Que locura!», *Desastre 68*.

can el bien, pero promueven el mal. La tortura y los asesinatos
no se explican exclusivamente por circunstancias excepcionales
de la guerra, sino que hunden sus raíces en causas más profundas. El tema general de esta serie de grabados es la cara oculta de
la especie humana, que engendra este tipo de actos en toda circuns-
tancia.

Estos dibujos y grabados que representan diferentes formas de
violencia llaman la atención no sólo por la temática, sino también
porque en ellos Goya alcanza nuevas cimas. La economía y la poten-
cia de su trazo son impresionantes. En los *Caprichos* y los dibujos
preparatorios Goya se detenía en detalles, pero en la época de los
Desastres las escenas se simplifican y los personajes se ven cada vez
desde más cerca. Sus rasgos expresan un solo estado, una actitud, un
sentimiento, pero con mucha más fuerza. Los principios de la representación han evolucionado. En el pasado, pintores y espectadores compartían la misma concepción del espacio, que les permitía
comunicarse con éxito, y a la vez las fronteras entre observación e
invención, entre real e imaginario, estaban claras. En los grabados de
los *Desastres* y en los dibujos de esa misma época Goya deja de preocuparse por este tipo de cuestiones.

Una imagen como *Desastre 68* (GW 1110, **fig. 23**), que lleva por
leyenda «Que locura!», no nos permite saber si estamos en la cabeza de Goya o en una España en manos de las fuerzas oscuras.
El dibujo preparatorio (GW 1111) era mucho más sencillo. Mostraba al mismo fraile agachado, al parecer defecando, con un orinal
al lado y varios otros frailes observándolo inmóviles. La «locura»
que evoca no era otra cosa que la estupidez y la vulgaridad del fraile.
El dibujo ilustraba una visión satírica del clero. Pero el grabado es
diferente. Ahora, junto al fraile y al orinal vemos una pila de máscaras a un lado, y objetos relacionados con las ceremonias religiosas
a otro: un maniquí, cuadros, una muleta y ropa. Al fondo se ven
otros personajes (¿una procesión de frailes?), que parecen fantasmas.
¿Dónde estamos? ¿Qué está sucediendo? ¿Cuál es el tema de esta
locura?

De esta indecisión procede la capacidad de estas imágenes de
interpelarnos dos siglos después. Si fueran exclusivamente satíricas, dejarían de ser pertinentes en cuanto desapareciera su objeto,
en este caso el clero ignorante e hipócrita, y además su valor moral
sería nulo. Siempre es fácil fustigar a los demás y asumir el papel

de enderezador de entuertos. Goya es actual porque –lo supiera o no– sus imágenes muestran también lo más profundo de su mente, y gracias a su veracidad podemos interrogarnos sobre nosotros mismos.

Fig. 24. *Dure la alegria.*

Esperanzas y advertencias

El régimen que se instauró en España a partir de 1814 es despiadado, pero no logra erradicar toda oposición. La historia española a principios del siglo XIX puede describirse esquemáticamente como un conflicto ininterrumpido entre fuerzas conservadoras, apoyadas por la Iglesia católica y la Inquisición, y fuerzas liberales, más o menos inspiradas en las ideas de la Ilustración. Estas últimas encabezan la escena durante el reinado de Carlos IV y, de manera muy diferente, de José Bonaparte. Dominan también el grupo de los diputados patriotas que elaboran la Constitución de 1812. Sin embargo, Fernando VII, que recupera el poder en 1814, luchará contra ellos. El nuevo rey recibe la aprobación de miles de tradicionalistas para actuar de este modo, pero también de esa parte de la población que siente nostalgia por el poder absoluto. La multitud celebra el regreso de Fernando con manifestaciones en las calles, en las que se canta: «¡Vivan las cadenas! ¡Viva la opresión!». También hay miembros de la élite intelectual que, en su deseo de complacer al poder, aprueban todas las medidas retrógradas de Fernando. En los anales ha quedado registrada una frase del rector de una universidad: «Lejos de nosotros la funesta manía de pensar», dice al rey, que ha ido a visitar la universidad.[33]

La represión es tan brutal que provoca una viva reacción. El 1 de enero de 1820 un joven oficial, Rafael del Riego, da un golpe de Estado y toma el poder. No destituye a Fernando, pero le pide que restablezca la Constitución liberal de 1812. El rey finge aceptar y jura lealtad a la ley fundamental, pero a la vez alerta a los gobiernos europeos de esta nueva amenaza que podría reanimar la llama de la revuelta en sus países. Estos gobiernos, miembros de la Santa Alianza, encargan a Francia, país vecino (y cuyo ejército conoce ya el terreno), que restablezca el orden en España. En 1823, como en 1808, los regimientos franceses invaden el país, pero esta vez los que llegan ya no son hijos de la Revolución, sino los «cien mil hijos de San Luis». Los soldados franceses aplastan el movimiento liberal con el mismo entusiasmo con el que quince años antes lo habían apoyado. A finales del mes de agosto la resistencia española está destrozada. Chateaubriand, entonces ministro francés de Asuntos Exteriores, califica la operación de obra maestra. En noviembre Riego es ahorcado. La represión vuelve a abatirse sobre los liberales de forma más brutal que antes, y la multitud aplaude. En estas circunstancias Chateaubriand expresa su condena.

Como los acontecimientos políticos, que recuerdan las esperanzas que suscitó la redacción de la Constitución de 1812, seguida por la represión desde el regreso de Fernando, los ciclos de Goya hacen también ese mismo itinerario dos veces, en el álbum C y en los *Desastres de la guerra*. Los dibujos del álbum C (111-131, GW 1346-1366) aluden probablemente a la época de la Constitución de 1812. Forman dos secuencias (C 111-118 y 119-131), que ilustran ambas un movimiento completo desde las promesas de liberalización hasta su triunfo, encarnado por una figura alegórica, pero que a su vez va acompañada de una imagen que recuerda la inquietante realidad. La primera secuencia empieza inmediatamente después de los «desastres de la paz», que acabamos de ver (encarcelamientos, torturas y ejecuciones). A partir de determinado momento Goya nos transmite cierta esperanza. Los dibujos 111-114 (GW 1346-1349) muestran a prisioneros parecidos a los anteriores, pero las leyendas son réplicas que les dirige el artista para anunciarles que el final de sus sufrimientos está próximo: *No te aflijas, Dispierta Inocente, Ya bas a salir de penas* y *Pronto serás libre*.

Van seguidos de una imagen que representa una explosión de alegría: un hombre con sombrero está arrodillado, con gesto de rezar, pero en lugar de bajar los brazos como signo de impotencia, como en el grabado introductorio de los *Desastres* («Tristes presentimientos de lo que ha de acontecer»), los alza extasiado, y su rostro está iluminado por una sonrisa triunfante. A su lado, en el suelo, vemos un tintero con plumas y una hoja de papel. Se trata de un escritor encarcelado por sus opiniones, que han considerado heréticas. La leyenda nos explica el porqué de su alegría: *Divina libertad*, exclama (C 115, GW 1350). Llama la atención el contraste entre estos dos hombres rezando, el que es presa de los presentimientos (*Desastre 1*), y este escritor. El desespero histórico del uno se opone a la alegría puntual del otro. En esta ocasión no hay duda de las opiniones políticas de Goya.

Las imágenes siguientes confirman esta sensación de triunfo y tienen también un carácter alegórico. C 117 (GW 1352) lleva por leyenda, escrita en caracteres de imprenta y en latín: *Lux ex tenebris*, la luz surge de las tinieblas, una frase tomada de los Evangelios (Juan 1:5). En el dibujo vemos a una joven volando por encima de los hombres. Lleva en las manos un libro, seguramente la Constitución liberal, del que surge una luz deslumbrante que forma un halo detrás de su cabeza. En sus representaciones de la guerra Goya nos había acostumbrado a desconfiar de las promesas luminosas. La ocupación de España por parte de los ejércitos franceses podía describirse como «las tinieblas surgen de las luces». Es evidente que aquí se siente más optimista. El dibujo siguiente de este álbum, C 118 (GW 1353), expresa el mismo talante. No lleva leyenda, pero la imagen habla por sí sola. En el centro del círculo luminoso, en la parte superior del dibujo, está la balanza de la justicia. Más abajo vemos dos grupos de personas. Los de la izquierda bailan para expresar su alegría, y los de la derecha se apiñan aterrorizados mientras un fraile se da a la fuga. La hora del juicio –no final y divino, sino recién conquistado y humano– parece haber llegado.

Sin embargo, en este mismo grupo hay otra imagen (C 116, GW 1351, **fig. 24**) que introduce la duda en esta explosión de alegría. En ella vemos un grupo de hombres sentados a una mesa, que cantan y beben a la salud de dos personajes colocados enfrente, a los que nosotros vemos de espaldas. La mujer sentada a la izquierda, vestida de blanco, nos resulta familiar. Se parece a la Luz (de C 117), y sugiere las ideas de libertad (de C 115) y de justicia (de C 118). El lugar que ocupa este dibujo en el álbum facilita la interpretación de la figura. El hombre sentado a la derecha, lejos de su compañera, y tan negro como ella blanca, debe de designar otra abstracción. ¿El Estado, el poder, la monarquía? Lo que introduce la duda en lo que parece ser una escena alegre no son sólo el contraste y la distancia entre los dos miembros de la pareja, sino también las expresiones de los alegres compañeros que beben a su salud. Sus rostros no son nada tranquilizadores, recuerdan las máscaras y las caricaturas de Goya, esa manera en que los individuos se deshumanizan cuando se convierten en multitud. Hoy cantan a la libertad y la justicia, pero mañana celebrarán con el mismo entusiasmo el regreso a la fe y al orden. La leyenda tampoco expresa una confianza absoluta en el advenimiento del bien: *Dure la alegria.* ¿Se cumplirá este deseo?

La segunda secuencia (C 119-131) empieza con seis imágenes que ofrecen una visión satírica de los frailes, cuyo poder ha aumentado considerablemente durante la guerra. Pretenden estar cerca de Dios, pero en realidad, como se niegan a trabajar, viven a expensas del pueblo y abusan de su credulidad. Un dibujo sorprendente muestra a un prelado de espaldas, vestido con una magnífica capa. La leyenda pregunta: *Quantas baras?* (C 125, GW 1360). Otro (C 123, GW 1358, **fig. 25**) muestra a un fraile caricaturizado que remite a las visiones de pesadillas de Goya, como sugiere la leyenda: *Que quiere este fantasmon*. La frontera entre mundo exterior y mundo interior sigue siendo porosa.

Sin embargo, los seis dibujos siguientes permiten captar un tono diferente. Debemos de estar ahora en la euforia de 1812, durante la cual se invita a los religiosos a colgar los hábitos. Ahora, en lugar de estigmatizarlos y ridiculizarlos, Goya parece mirarlos con simpatía y nos los muestra alegres de recuperar la plenitud de la vida en la tierra. *Sin camisa, son felices*, proclama la leyenda del primer dibujo (C 126, GW 1361), y los demás lo confirman. Una monja se quita el hábito pensativa, un fraile se arranca el suyo con rabia, pero todos aceptan dejar los hábitos religiosos sin protestar. La sinceridad vence a la hipocresía, y la aceptación de la vida, a la sumisión a un dogma anticuado.

Goya añade a esas doce imágenes una decimotercera de estatus diferente. Representa a un personaje alegórico, es como un comentario de los dibujos que la rodean y expresa directamente la posición del autor. En ella vemos a una mujer vestida de blanco y con una corona de laurel. En la mano derecha lleva un látigo con el que golpea a los pájaros negros que tiene delante. Con la mano izquierda sujeta una balanza. La leyenda dice *Divina razón*, título que algo después completó con *no deges ninguno* (C 122, GW 1357). El sentido parece claro: los pájaros negros simbolizan los miembros de las órdenes monásticas, y la mujer encarna la razón, que orienta tanto la justicia (la balanza) como el poder del Estado (el látigo). Goya sólo está formulando un deseo, pero parece creer en la posibilidad de que se cumpla. Es evidente que aquí se trata de un régimen de la razón diferente del que producía monstruos.

La serie de los *Desastres de la guerra* concluye también con otra nota esperanzada, que en este caso probablemente suscita no las expectativas que genera la Constitución de 1812, sino el ambiente que precede o acompaña el golpe de Estado liberal de 1820. Al final del ciclo hay cuatro grabados exteriores con una temática que Goya ya ha

Fig. 25. *Que quiere este fantasmon.*

tratado antes y que enlazan con el tono alegórico. Tres de ellos forman una secuencia. El primero, *Desastre 79* (GW 1132), lleva por leyenda «Murió la Verdad» y muestra a una joven muerta, con los pechos al aire, que sin embargo sigue desprendiendo luz. Está rodeada por sus sepultureros, visiblemente alegres, entre los que figuran en un lugar destacado los representantes de la Iglesia. El grabado siguiente, *Desastre 80* (GW 1134), sigue mostrando a la Verdad inmóvil, pero la luz que emana de ella se ha intensificado, y los seres nefastos que la rodeaban han tenido que retroceder. En esta ocasión la leyenda dice: «Si resucitará?». ¿Acaso la verdad ocupa en el panteón de Goya el lugar que antes tenía Cristo? Por último, el tercer grabado, que es también la última imagen de la serie (*Desastre 82*, GW 1138), muestra una vez más a la Verdad. Esta vez, la mujer de pecho generoso está de pie, resplandeciente, junto a una cesta rebosante de fruta y un cordero. Es la época de la abundancia. Ha expulsado a sus adversarios y ahora se dirige a un viejo campesino que está a su lado, quizá símbolo del trabajo. La mujer recuerda las representaciones que ha hecho Goya de otros famosos valores, como la Razón y la Luz, la Libertad y la Justicia. La leyenda afirma: «Esto es lo verdadero». Un dibujo (F 45, GW 1470) ilustra la misma situación.

Estas tres imágenes consecutivas parecen sugerir cierto optimismo por parte de Goya. La verdad ha sucumbido bajo los golpes de la represión, pero puede resucitar o, mejor, sigue viva. La propia existencia de la imagen es la prueba de que esta afirmación es correcta. La verdad vive, al menos en el corazón de algunos individuos, como el pintor, y no es el único. Sin embargo, este mensaje positivo queda inmediatamente atemperado por otra imagen insertada en medio de la secuencia. Se trata de *Desastre 81* (GW 1136, **fig. 26**), que representa a una especie de animal gigantesco atiborrándose de lo que parecen ser trozos de cadáveres.

Además, en medio de la serie hay una variante de la misma escena (*Desastre 40*, GW 1056): una persona intenta sujetar a un animal parecido, aunque más pequeño (de tamaño humano, mientras que el anterior puede tragarse de un bocado un cuerpo entero). «Algún partido saca», dice la leyenda. Esta imagen, que forma parte de la serie tardía de los «enfáticos» y que en sentido estricto no representa un desastre de la guerra, no se ha colocado por azar en este lugar emblemático. Como el *Capricho 43*, en el medio de la primera serie, supone un comentario de los demás grabados.

Fig. 26. «Fiero monstruo», *Desastre 81*.

El animal de *Desastre 81*, que se intercala en los grabados finales, tiene sin duda un sentido simbólico, que sugiere también la leyenda, «Fiero monstruo». Como el *Coloso*, encarna el espíritu de la guerra, incluso, de forma más general, la brutalidad humana, tal como la hemos visto con todo detalle en los grabados anteriores. Goya no quiere hacerse ilusiones, y el llamamiento a lo ideal va seguido de una alusión a lo real. Este doble mensaje está ya presente en los grabados inmediatamente anteriores a las cuatro imágenes finales. *Desastre 77* (GW 1128), por ejemplo, anuncia que la cuerda sobre la que andaba el poder de la Iglesia católica está a punto de romperse. ¿Debemos alegrarnos? Sin embargo, los rostros de la multitud que espera este feliz acontecimiento nada tienen de tranquilizador.

Las imágenes alegóricas con las que Goya evoca sus ideales no tienen la fuerza de los dibujos y grabados que representan los estragos de la guerra y los desastres de la paz. Es además significativo que el pintor recurra a la alegoría para representar el bien, mientras que le basta con mostrar ejemplos del mal. Es como si los artistas reaccionaran ante el espectáculo del mundo como lo hacemos nosotros ante las representaciones de vicios y virtudes. Los vicios son infinitamente más cautivadores que las virtudes. La Verdad resplandeciente y la Razón imperante nos interesan menos que las pilas de cadáveres y los cuerpos torturados.

Esta asimetría, también característica en la literatura, había impresionado a Balzac, que descubría perplejo que en sus novelas interesaba más la descripción del mal que la del bien. «Las grandes obras permanecen por sus vertientes apasionadas. Pero la pasión es el exceso, el mal [...] El procedimiento antiguo siempre ha consistido en mostrar la herida [...] El *Paraíso* apenas se lee. Lo que atrapa la imaginación en todas las épocas es el *Infierno*.» Y añade, él mismo impresionado por las perspectivas que abre: «¡Qué lección! ¿No es terrible?».[34] ¿No será que la verdad, la razón, la libertad y la justicia son abstracciones que nunca pueden materializarse del todo? Por lo tanto, una vez más, el hecho de que Goya se exprese mejor cuando representa el mundo humano en su realidad concreta, como cuando nos muestra que las aspiraciones humanas más nobles pueden engendrar desastres, podría ser consecuencia de las exigencias de verdad. Lo que resulta difícil representar no es el bien, sino los ideales abstractos, que sólo pueden representarse de forma alegórica.

Pero estas imágenes de Goya son siempre portadoras de un mensaje claramente político. Aunque el pintor no defiende un programa concreto, condena con fuerza las corrientes oscurantistas de la Iglesia y a los que las apoyan y se aprovechan de ellas, es decir, la corte de Fernando VII. Su adhesión a las ideas liberales de su tiempo y al espíritu de la Ilustración nunca ha sido tan clara, pero esta posición es complicada y queda enriquecida por su aguda consciencia de la presencia de fuerzas incontrolables en el hombre, de un caos interior irreductible. El amor a la verdad va acompañado de la tendencia a la crueldad, del mismo modo que la razón no puede existir sin sus pesadillas y su locura. La elocuencia satírica de Goya indica que no quiere resignarse ante estas fuerzas maléficas, pero nada muestra que crea que puede vencerlas definitivamente. En el fondo, su posición no es ni optimista ni pesimista. Goya es un humanista dotado de una conciencia trágica de la condición humana, pero que ha elegido para sí el camino de la resistencia.

Ahora entendemos por qué Goya no podía plantearse publicar los *Desastres* (en aquellos momentos ponía a la venta una serie dedicada a la tauromaquia, temática mucho menos peligrosa). El pintor prefirió seguir siendo fiel a su verdad íntima y a sus intenciones profundas, en lugar de sacar provecho difundiendo las imágenes de la guerra, las únicas que la opinión pública podía aceptar en aquel momento.

Esta decisión tiene consecuencias de largo alcance, puesto que modifica el estatus de las imágenes que crea. Ahora su objetivo ya no es complacer a los que le hacen los encargos y a sus compradores, ni siquiera transmitir sus sentimientos, sino que sólo apunta a entender el mundo, a conocer sus propios pensamientos y reacciones ante él, y exteriorizarlos. Lo mismo sucedía ya con sus dibujos, de los que era el único destinatario, dado que supuestamente nadie más tenía que verlos. Es verdad que los pintores del pasado siempre habían considerado que sus dibujos eran una forma de expresión auxiliar o privada, pero al formar álbumes, auténticas obras, Goya indica que les concede un estatus autónomo. Ahora este cambio se amplía a los grabados, aunque su razón de ser consiste en permitir que las imágenes circulen entre un gran público. En los *Caprichos* Goya pretendía también mostrar sus obsesiones secretas, pero esta finalidad quedaba disimulada entre el objetivo explícito: fustigar las supersticiones populares y los vicios humanos. Ahora el marco egocéntrico (en sentido literal) pasa al primer plano. El Goya privado se apropia de un lugar que antes ocupaba el Goya público. Esta importante decisión –a saber, que la imagen está ahí ante todo para ayudar a conocer el mundo y a que el individuo se exprese, pero no de forma inmediata para facilitar la comunicación social– le permite eliminar sus últimas concesiones a las reglas comunes de la práctica pictórica, las que le aseguraban que sus imágenes fueran bien recibidas.

Los dos regímenes de pintura

La nueva concepción que adopta Goya sobre sus imágenes no se limita sólo a los grabados, sino que se expresa también en sus pinturas. Hasta 1808 los cuadros de encargo constituyen la gran mayoría de sus obras (hemos visto lo que sucedía con los cuadros que pintaba sin que se los hubieran solicitado). Durante los años de guerra los encargos se reducen drásticamente, aunque no desaparecen del todo. Goya podía pintar algunos retratos oficiales y alguna alegoría. En cuanto se marchan los franceses, pinta varios cuadros conmemorativos. A partir de 1814 la separación entre los dos registros de creación es todavía más clara. No le cuesta demasiado atender los escasos encargos que recibe, una veintena de retratos de estilo bastante convencional. Los demás cuadros los pinta básicamente para sí mismo, y de un modo totalmente diferente. Si comparamos los retratos oficiales de Fernando VII (por ejemplo, GW 1540) con el autorretrato que se conserva en la Academia de San Fernando (GW 1551), cuesta creer que se trate del mismo pintor. La pose rígida del primero, los rasgos bien dibujados del rostro y los detalles de la ropa y las insignias contrasta con la visión inspirada de un hombre sencillo, ajeno a toda pose, que sufre, que duda y al que sólo la iluminación del rostro arranca de la oscuridad que lo rodea. Goya sólo pinta cuadros de encargo aplicando las reglas de su arte personal de forma excepcional, como *La Junta de Filipinas* (GW 1534). Sus cuadros «libres» pueden llegar a atraer a los aficionados que comparten su gusto, pero nadie los ha encargado. Los clientes deciden a posteriori si les interesan o no.

Así, por una parte Goya sigue pintando retratos oficiales, cuadros alegóricos e imágenes religiosas, pero por la otra crea para sí mismo los horrores de la guerra, en el sentido amplio de la expresión. La diferencia visual más sorprendente entre las dos series, pintadas a partir de 1793, tiene que ver con la relación entre figuras y color. En el primer grupo de cuadros los objetos están dibujados con claridad, y los colores rellenan los contornos previamente trazados. En el segundo es la mancha de color la que crea la figura, que no tiene ya existencia autónoma. Como Goya decía a Brugada, en la naturaleza no hay líneas (como tampoco en la pintura hay reglas). Ahora pinta el mundo como lo ve, no como existe independientemente de él. La ruptura que supondrán los impresionistas está ya ahí. Al mismo tiempo, y paradójicamente, esta sumisión a una visión pura abre el camino a la representación de lo invisible. En la primera serie todo objeto existe de forma autónoma y se estable una jerarquía entre los distintos objetos, pero en la segunda los objetos se confunden y forman un todo, la jerarquía ha desaparecido. Por una parte los rostros conservan el contorno y se someten a la exigencia de parecerse al modelo, y por la otra se reducen a manchas que no representan los ojos o la boca, sino que los indican, y la forma real del objeto cede su lugar a la expresión de un sentimiento o una actitud. Javier Goya afirma en la breve biografía que dedica a su padre que los cuadros de esta serie «y más señaladamente los que conserbaba en su poder, demuestran á la evidencia que nada le quedó que vencer en la Pintura y que conoció la magia, (espresión que siempre decía) del ambiente de un cuadro».

Los amigos de Goya querrían ayudarlo en el plano material buscándole nuevos encargos, pero ahora saben que es incontrolable. Una carta de Ceán Bermúdez da testimonio de ello. Este último ha conseguido a su amigo un encargo para la catedral de Sevilla, pero, sabiendo que el pintor es hostil a la Iglesia, desconfía del resultado y lo vigila de cerca. El 27 de septiembre de 1817 escribe a una tercera persona: «Ya conocerá Vsted a Goya y conocerá cuánto trabajo me costó inspirarle tales ideas, tan opuestas a su carácter. Le dí por escrito una instrucción para que pintase el cuadro, le hice hacer tres o cuatro bocetos». Ceán Bermúdez lo consigue. El cuadro en cuestión, *Santa Justa y Santa Rufina* (GW 1569), es absolutamente «correcto», y muy diferente de las imágenes que el artista pinta sin que se las hayan encargado.

Tenemos un ejemplo contrario, de cuadros pintados a su gusto y que los aficionados pudieron ver sólo después de haber sido pintados, en *La fragua* (GW 965), que se quedó en el estudio del pintor y que tras su muerte se quedará su hijo. Lo mismo sucede con una serie de cinco tablas que pasarán a ser propiedad de un amigo de Goya,

Manuel García de la Prada, un rico hombre de negocios y notorio afrancesado (más tarde las ofrecerá a la Academia de San Fernando, donde todavía están). Todas ellas representan escenas colectivas. *La procesión de disciplinantes* (GW 967) muestra a personajes con el torso desnudo, cubiertos con máscaras y con grandes sombreros en forma de cono, parecidos a los que llevan las víctimas de la Inquisición. Participan en una procesión religiosa. El *Auto de fe de la Inquisición* (GW 966) coloca en primer plano a varios acusados, y alrededor vemos a la multitud dócil.

La *Corrida de toros* (GW 969) muestra una multitud contemplando el espectáculo. En todo el itinerario de Goya hay corridas de toros: hasta 1792 es una pasión personal inconfesable, porque los ilustrados consideran que este tipo de espectáculo popular es vulgar; ocho cuadros de 1793, en la primera serie de temas que eligió libremente; en 1816 se publican los treinta y tres grabados reunidos bajo el título de *Tauromaquia*; en 1824, poco después de llegar a Francia, pinta un grupo de cuadros de corridas de toros; en 1825 litografías... ¿Por qué esta obstinación de Goya? No se trata de simple fidelidad a sus gustos de juventud. El enfrentamiento entre el toro y el torero se ha convertido para él en la encarnación de una de las grandes dimensiones de la existencia: el enfrentamiento del hombre y el animal, de la habilidad y la fuerza bruta, del arte y la naturaleza. Es a la vez un resumen del destino humano, un momento de verdad. Como en los duelos, aquí se asume el riesgo de morir, y además se convierte en espectáculo. La muerte del toro o la muerte del torero. Goya no se cansa de retomar esta muestra de la fragilidad de la vida. El fútbol, deporte preferido de los europeos de hoy en día, posee un simbolismo más sublimado y menos rico.

Casa de locos (GW 968, **il. 17**) muestra a otra multitud, la de los internos de un manicomio, desnudos o vestidos con harapos, sumidos en sus fantasmas. Los han encerrado en una sala que recuerda la del *Hospital de apestados* (**il. 10**) y las cárceles de Goya. Uno cree que es un toro, otro sopla una cerbatana, un tercero lleva una corona de plumas, y un cuarto, con tricornio, sujeta un fusil invisible. Un quinto canta y un sexto nos bendice. En un rincón de la sala hay un hombre arrodillado ante el sexo de otro. Forman una muestra bastante completa de actitudes que podemos ver entre los que están en su sano juicio. Aquí, todavía más que en el primer cuadro dedicado a la locura (**il. 6**), hacen pensar ante todo en actores de teatro representando diversos papeles. Esta teatralización produce un efecto de cercanía sorprendente, aunque sin duda están locos. Pero ¿somos tan diferentes de ellos cuando nos dedicamos a nuestras cosas? ¿Acaso sus actitudes no ponen de manifiesto las nuestras? ¿No desempeñarán las poses de los locos el mismo papel que las máscaras, que esconden y muestran a la vez?

El último cuadro de la serie, que pertenecerá a García de la Prada, suele titularse *El entierro de la sardina* (GW 970, il. 18). Su interpretación no es evidente. Disponemos de un dibujo preparatorio de este cuadro (GW 971), que intriga sobre todo por los cambios que introduce. El dibujo parece aludir a un momento concreto del calendario, el final del carnaval y el principio de la cuaresma, la transición entre el martes de carnaval y el miércoles de ceniza. Este paso anuncia el final de las alegrías y los excesos del carnaval y el principio de las abstinencias que exige la cuaresma. En el dibujo los que bailan son los frailes y las monjas, que agitan un estandarte con la palabra *mortus*. Celebran pues el fin de este periodo bastante pagano que es el carnaval y el regreso a costumbres más piadosas. Pero el cuadro final invierte sistemáticamente los signos del ritual que muestra el dibujo. En lugar de la palabra *mortus* (que todavía puede verse en el cuadro si se radiografía) está la imagen de una máscara con una amplia sonrisa. Ya no es un entierro, sino una celebración.

Esta inversión de los valores tradicionales cuadraría mejor con lo que sabemos sobre los sentimientos del pintor respecto de la Iglesia. Por lo demás, en el inventario de los cuadros encontrados en casa de Goya después de su muerte, parece que se designa *El entierro de la sardina* con un título sin la menor connotación religiosa: *Baile de máscaras*. Pero, después de todo, el carnaval supone sin duda una inversión de valores, de modo que podemos aceptar con los historiadores que la sardina es aquí un eufemismo del cerdo, es decir, se trata de anunciar el final de las comilonas, que quedarán sustituidas por la dieta a base de pescado. Interpretaremos entonces esta fiesta como un ritual carnavalesco que celebra con exuberancia lo que debería provocar lamentaciones.

El cuadro muestra una alegre procesión. En el centro vemos a cinco enmascarados bailando: dos mujeres vestidas de blanco, un hombre con una máscara grotesca a la derecha, otro hombre en el centro, que quizá no lleva máscara, sino que su rostro es simplemente una caricatura, y por último un personaje vestido de demonio, con cuernos y máscara de muerto. Otras dos figuras, también disfrazadas, se acercan por la izquierda con aspecto terrorífico. Una lleva una lanza, y la otra es un oso que muestra los dientes (o más bien un hombre vestido de oso). Sabemos que este tipo de juegos y danzas formaban parte de las tradiciones carnavalescas antiguas. Detrás de ellos, una multitud densa y agitada en la que se mezclan máscaras espantosas y caras descubiertas. Delante, varios espectadores, jóvenes o adultos, mucho menos numerosos que los que participan en el espectáculo. Por encima de esta multitud caótica, un cielo tan agitado como ella.

Es poco probable que Goya represente aquí una escena de procesión real, porque estas ceremonias no estaban permitidas en su tiempo. Además, los que comentan el cuadro en su época indican explícitamente que su imaginación ha transformado la realidad. En cualquier caso, esta alegría popular está bastante lejos del espíritu cristiano. Eso no quiere decir que sea una glorificación del pueblo. Los rostros que emergen de esta multitud delirante no dejan de ser inquietantes. En cualquier momento podría estallar la violencia.

Lo mismo sucede con los demás cuadros de esta serie. Ninguno de ellos puede considerarse la representación fiel de un hecho. Hace décadas que se han prohibido las procesiones de disciplinantes, la Inquisición ya no juzga ese tipo de cosas, y el manicomio que pinta Goya es demasiado rico en símbolos. Lo que el pintor muestra no son hechos, sino fantasmas, a los que representa según su estética. Los rostros no están individualizados, pero las muecas y los gestos son elocuentes. Las formas singulares y el fondo que las rodea se mezclan. Predomina el vértigo de la imaginación. Las visiones de Goya han abandonado no sólo el espacio real, sino también toda referencia a la representación. No podemos situar las imágenes en ningún lugar. Si Dios ha muerto, si los ideales de la razón, de la justicia y de la verdad pueden traicionar, entonces realmente «todo está permitido», también en el mundo de la pintura.

En cuanto a los dibujos, Goya se los reserva para sí, y son cada vez más. Es muy posible que los tres álbumes F, E y D sean de estos años. En algunos dibujos se mantienen las tradiciones satíricas que se ilustran en los *Caprichos*, caricaturizan las peleas entre hombres y entre mujeres, incluso el castigo corporal de los niños (por ejemplo, E 13, GW 1389), pero con más frecuencia muestran al pueblo llano sin ridiculizarlo. Es el caso de viejos y viejas que sueñan con volver a casarse y olvidan el estado en el que se encuentran, o que no quieren admitir su debilidad y su torpeza, y a los que Goya ofrece consejos amistosos: *No llenar tanto la cesta* (E 8, GW 1387). Parece como si, para compensar su incapacidad de comunicarse con personas de verdad, se hubiera dedicado a sermonear a sus personajes. Goya retoma también motivos habituales de los cuadros de género, como hombres trabajando, cazando y batiéndose en duelo, incluso la madre despiojando a su hijo, la mujer caritativa que da de beber a un anciano (F 93, GW 1508), y las mujeres –sensuales– que tienden la colada (E 37, GW 1406, **fig. 27**). También representa a mendigos sin caricaturizarlos, comiendo (Ek, GW 1428) o cantando por la calle (E 50, GW 1415). Vemos también familias trabajadoras, a un padre ciego con un bebé en brazos mientras se arregla el zapato (Ed, GW 1421), otro padre encaramado a lomos de un burro y colocando amorosamente a su hijo (E 21, GW 1394), y campesinos cargados de bultos que van al mercado con su hija entre ellos (F 17, GW 1445).

En estos álbumes suele aparecer otro tipo de personaje: la joven de rasgos puros, semejante a las figuras alegóricas de los ciclos de Goya (la Verdad, la Razón, la Justicia y la Libertad). Las leyendas que las acompañan indican que también en este caso se trata de encarnaciones de la Virtud. Una mujer está sentada haciendo punto, y la leyenda comenta: *El trabajo siempre premia* (Ea, GW 1417). Otra está apoyada en el tronco de un árbol, con los ojos cerrados, en una postura que parece evocar una escultura: *La resignación* (E 33, GW 1402). Una mujer elegante está sentada en el campo, directamente en el suelo, con la mirada fija en un libro. El pintor le da un consejo: *Piénsalo bien* (E 48, GW 1412). También se dirige a otra joven, una figura solitaria en un paisaje, sumida en pensamientos que no deben de ser alegres: *Déjalo todo a la providencia*, le recomienda (E 40, GW 1409). La campesina de E 28 (**fig. 1**) forma parte de esta misma serie. El Goya que ha dibujado estas imágenes parece tranquilo y sereno. Vemos en el rostro de algunas mujeres víctimas de la violencia masculina, o de los poderes públicos, ese aire de pureza e inocencia que Yves Bonnefoy cree que sólo es posible «en la medida en que la persecución haya librado a la víctima de la fatalidad de ser verdugo».[35]

Muchos otros dibujos ilustran temas habituales de la vertiente «nocturna» de la obra goyesca, lo que no quiere decir que ofrezcan una valoración del tema. Así, se mantiene el interés de Goya por los temas de brujería. Dos viejos brujos (D 4, GW 1370, **fig. 28**) bailan

Fig. 27. *Hutiles trabajos.*

flotando en un espacio indeterminado. Uno de ellos toca las castañuelas, y el otro se agarra al primero. Sus rostros expresan una especie de alegría. Además, el dibujo se titula *Regozijo*. El vuelo, alejarse
del suelo y a la vez de las leyes que rigen el espacio humano parecen
materializarse en el mundo de los brujos, como sucede con los fantasmas sexuales del pintor. Encontramos también sus angustias, como
en los dibujos que muestran a magos llevándose a niños recién nacidos. Una vieja bruja, que recuerda a la que vemos en *El conjuro*
(il. 9), ha llenado su alforja de niños desnudos atados a un bastón
(D 15, GW 1374). Goya nos dice en este caso que se trata del *Sueño
de buena echizera*... buena para sí misma sobre todo.

Los súcubos dan una zurra a un hombre indefenso, pero quizá no
es más que un sueño (Da, GW 1378). Dan muestras de tener una
fuerza extraordinaria, como esa abuelita que lleva a la espalda a dos
hombres desnudos, que se superponen en una postura acrobática
(D 20, GW 1376). Goya da al dibujo el título de *Pesadilla*. Otras veces, estos demonios femeninos parecen menos amenazantes. El dibujo E 2 (GW 1393, **fig. 29**), otra *Pesadilla*, muestra a una bruja de
edad avanzada cuyos rasgos expresan el terror puro. Se la lleva volando no un macho cabrío, sino un toro. La atracción que siente
Goya por el vuelo parece incluso más general y vinculada a su cues-
tionamiento de la representación espacial. Las formas humanas que
representan sus dibujos parecen haber abandonado el espacio común
y flotan en un lugar indeterminado, como esos hombres que revolo-
tean alegremente (**fig. 28**). Todos han escapado del mundo que conocemos, en el que el suelo atrae hacia sí a las criaturas. ¿Viven en el
reino de los sueños? Nada los detiene, y tampoco a Goya. Esta libertad respecto de las reglas de la mecánica clásica se convierte a la vez
en símbolo de las libertades que ahora Goya se toma con las leyes
tradicionales de la representación.

Algunos otros dibujos enlazan con la temática sexual ya aborda-
da anteriormente, como F 71 (GW 1490, **fig. 30**), que en la actualidad lleva por título *Despertar por los aires*.

Otros muestran a dos mujeres cariñosamente abrazadas (Eh,
GW 1426), tema que también encontramos en otros lugares (por ejemplo, GW 366, 383, 656 y 1751; la homosexualidad masculina aparece
representada más raramente), y un hombre que exhibe su sexo ante
una joven (Eb, GW 1419). Más trágicas son las escenas que anuncian una violación, como E 41 (GW 1410), que muestra a un bandido

Fig. 28. *Regozijo.*

Fig. 29. *Pesadilla.*

Fig. 30. *Despertar por los aires.*

arrastrando hacia una cueva a una mujer a la que se aferra su hijo. La leyenda dice: *Dios nos libre de tan amargo lance* (hemos visto ya este tema tratado en cuadros, **ils. 12-14**). Otro bandido ha desnudado a su víctima, que, arrodillada y con las manos atadas, espera angustiada que se cumpla su destino (F 16, GW 1444). Comparadas con ella, las peleas de mujeres, menos frecuentes, parecen casi cómicas, como F 74 (GW 1493), en el que una de las mujeres que se pelean le ha bajado los pantalones a la otra y le da una zurra con el zapato. Como los graba-dos de los *Desastres*, los dibujos de esta época suelen caracterizarse por la simplificación de los rasgos y la omisión de detalles, lo que hace que las figuras sean más generales y a la vez más expresivas.

Este doble régimen durará treinta años, desde los primeros álbu-mes de dibujos hasta la muerte del pintor, y es un acontecimiento de primerísimo orden. Goya mantiene una actividad intensa como pin-tor oficial y mundano, y a la vez alimenta lo que Gassier llamará un «inmenso río subterráneo, que carga con el misterio tenebroso de las profundidades»,[36] formado por un millar de dibujos, más de un cen-tenar de grabados y gran cantidad de cuadros de caballete, destina-dos a quedarse en el estudio del pintor o a circular sólo entre los amigos. Por lo tanto, más de la mitad de su obra total no está hecha para el público de su tiempo, sino para sí mismo y su destinatario imaginario, ese «espectador imparcial y bien informado», que está fuera del tiempo.

Segunda enfermedad, Pinturas negras y *Disparates*

En febrero de 1819 Goya compra en los alrededores de Madrid una casa de campo que por casualidad resulta que es conocida por un nombre muy apropiado, la Quinta del Sordo. No sabemos por qué quiere marcharse de la ciudad en la que vive desde hace tanto tiempo. Una hipótesis probable –aunque no está apoyada en ningún documento– dice que prefiere retirarse para no mostrar ante todos, y en especial ante la Inquisición, su vida en concubinato con Leocadia Weiss. Es cierto que empieza a acondicionar la casa durante el verano, pero antes de poder vivir en ella vuelve a caer gravemente enfermo. También es cierto que en 1792 no se sabe cuál es la naturaleza exacta de su enfermedad. Sólo nos informa de ella el conmovedor autorretrato que ha pintado en 1820, en el que aparece con su médico Arrieta (GW 1629, il. 19), que es a la vez el destinatario del cuadro. La leyenda dice: «Goya, en testimonio de gratitud por el exito y cuidado que ha desplegado para salvarme la vida durante la violenta y peligrosa enfermedad sufrida a finales de 1819, con setenta y tres años de edad».

El cuadro muestra a un Goya agotado, incluso cerca de la muerte, que aprieta convulsivamente la sábana con la mano izquierda. Se abandona entre los brazos del médico, hombre de mirada inteligente y preocupada, que le acerca un vaso que seguramente contiene un medicamento. Detrás de ellos, apenas visibles, entrevemos tres figuras bastante inquietantes, que unas veces se identifican como un cura y dos criados, pero que, dados sus contornos inciertos, probablemente se trata de seres que sólo existen en la mente febril del enfermo, los demonios que lo acompañan desde hace tanto tiempo y que acechan mientras desfallece, como hacían los fantasmas alrededor del moribundo que había pintado treinta años antes (GW 243), y alrededor del Goya autor de grabados, como en el *Capricho 43* y en *Desastre 1*.

El año anterior Goya había pintado un cuadro que mostraba los últimos momentos de la vida de otro personaje (GW 1638), pero la

escena era totalmente diferente. Mostraba a José de Calasanz tomando la última comunión. Al parecer, en la misma situación, Goya se fía
de remedios humanos y naturales. Elige al médico en lugar de al cura,
y prefiere el vaso al cáliz. El resultado es que Calasanz muere, mientras
que Goya sobrevive... Su autorretrato con Arrieta pertenece al género
ex voto, una imagen que se ofrece a la iglesia, representando a la víctima de un accidente cualquiera, acompañada de un santo o de la Vir-
gen, que lo habría sacado de ese mal paso. Pero en este caso se trata de
un personaje totalmente profano, el médico, que aparece en el papel
del santo y trae consigo la salvación, y por eso el cuadro estará destinado no a la iglesia, sino a la casa del médico.

Goya se ha visto al borde de la muerte, y lo que lo ha devuelto a la
vida ha sido la ayuda de otro hombre. Su cuadro se convierte en un
himno a la compasión, a la preocupación desinteresada por los demás.
Este tema no estaba del todo ausente en su obra anterior, ni en los
Desastres de la guerra, ni en los dibujos de esa misma época. El nombre
que le daba era «caridad», virtud cristiana de capital importancia, que
recomienda el amor universal por el prójimo. Pero hasta entonces el
pintor había observado ese gesto desde fuera y lo había representado
porque quería ofrecer una imagen exacta de las pasiones humanas.
Ahora ha sido objeto de ella personalmente. Los consuelos de la Iglesia, las promesas de la Ilustración y las pasiones patrióticas han resultado decepcionantes. Esta vez Goya se ha situado ante el bien puro, sin
mezcla, y por lo tanto algo así existe, aunque sea rarísimo.

Como en 1792, la gravedad de la enfermedad transformará la actividad pictórica de Goya. Veintisiete años antes, la sordera, que había
sido la consecuencia de su primera enfermedad, le había hecho descubrir, o en todo caso potenciar, su mundo interior. Ahora, el sentimiento
de haber rozado la muerte le proporcionará una nueva libertad, como si se diera cuenta de que en los pocos años de vida que le quedan ya
no debe tener en cuenta ninguna convención. Puede y debe dar libre
curso a la búsqueda de la verdad que perseguía.

Más o menos en ese mismo momento pinta uno de sus últimos cuadros de tema religioso. Al margen del encargo que le hicieron los curas
de las Escuelas Pías de San Antón, en Madrid, para que pintara la gran
tabla dedicada al patrón de la comunidad, José de Calasanz, pinta
–una vez más por iniciativa propia– un cuadrito que regalará a estos
curas (**il. 20**). En él representa un episodio al que da vueltas desde hace
mucho tiempo, el de Cristo en el huerto de los olivos, enfrentado a su

destino trágico. Pero, mientras que el personaje que encabeza los *Desastres* en esa misma postura parecía esperar que alejaran de él ese cáliz, aquí Cristo, inclinado ante las dos copas que le ofrece el ángel, abre los brazos en cruz, como para recibirlas mejor. Este ser descarnado, evanescente y fantasmagórico representa a la vez el desamparo y la aceptación de su suerte.

El resultado de estos últimos cambios en la mentalidad de Goya serán los cuadros, grabados y dibujos de sus últimos años, en especial los que llamamos «Pinturas negras», que pintó en las paredes de la casa a la que fue a vivir después de su enfermedad, en 1819. Así, su creación es inmediatamente contigua a la experiencia por la que acaba de pasar y de la que da cuenta su autorretrato con Arrieta. Esta obra constituye, si no el prólogo, al menos la condición previa de las Pinturas negras. Pero, en apariencia, nada podría ser tan distinto. El autorretrato con Arrieta muestra, quizá por primera vez en Goya, la encarnación de la virtud suprema, la pura benevolencia hacia el prójimo. Las Pinturas negras representan un desfile de demonios y de monstruos. El pintor, inmediatamente después de haberse adentrado en lo más elevado de la humanidad, se dedica a volver a sacar a la superficie a los habitantes de los abismos. Pero quizá tenemos que ir más allá de esta aparente contradicción. También puede ser que sólo el contacto con el terreno sólido de la compasión diera a Goya el valor de emprender ese viaje peligroso que le permitiría liberarse de sus monstruos colocándolos en las paredes de su casa.

La creación de las Pinturas negras tiene lugar durante el paréntesis liberal que vive España, entre 1820 y 1823, entre el golpe de Estado de Riego y su detención. En septiembre de 1823, poco después de la victoria de los conservadores, Goya regala la Quinta del Sordo a su nieto Mariano y parece que no vuelve a vivir en esa casa. Pasa los primeros meses de 1824 en casa de un amigo. En ese momento toma la decisión de marcharse de España y empieza a organizar su futuro exilio. Las razones de esta marcha, que sólo podemos deducir, no parecen ser directamente políticas. En esta época Goya no tiene ninguna actividad pública, sus imágenes subversivas no circulan y además tiene amigos influyentes en todos los sectores políticos, aunque está claro que simpatiza con los liberales. Si la relación ilegal con Leocadia era ya una razón para salir de Madrid, en las nuevas circunstancias pudo motivar su marcha de España. Leocadia no esconde sus ideas liberales y desea sin duda marcharse del país. Así, Goya creó las Pinturas negras duran-

te un periodo marcado por una nueva libertad interior, consecuencia
de la enfermedad, y a la vez por una relativa liberalización política.

El primer rasgo característico de las pinturas que decoran las paredes de la Quinta del Sordo, llamadas «negras» por la insistente presencia de este color, es que no estaban destinadas a que las viera nadie más
que el propio pintor y sus íntimos. Goya ha recorrido un largo camino
desde la carta de 1793 a Iriarte, en la que le comentaba que quería escapar de la pintura por encargo y crear imágenes que le imponía un
sentimiento de necesidad interior. Sus primeros cuadros libres, como
otros que seguirían, que pinta al mismo tiempo que encargos oficiales,
estaban también destinados a un público, aunque fuera restringido.
Goya los envió a la Academia junto con su carta. La evolución llega
después a los grabados. Mientras que los *Caprichos* se ponen a la venta, los *Desastres de la guerra*, que han exigido a Goya mucho trabajo e
incluso muchos gastos, no se venderán jamás. Sólo imprimió dos series
de pruebas, una de las cuales envió a un buen amigo. Ya no pretenden
la comunicación inmediata, sino que se acercan a los dibujos, actividad estrictamente privada, y se convierten en un puro medio de expresión y de búsqueda de verdad. Como hemos visto, los estilos de
los cuadros destinados a uno u otro uso, público o privado, divergen
cada vez más.

Con las Pinturas negras Goya da un paso más. Al pintar imágenes
en las paredes de su casa, ya no en una tela que puede transportarse,
señala su renuncia a que estas obras se difundan. Además es sorprendente constatar que no hay la menor mención de ellas, ni en su correspondencia ni en los escritos de sus amigos. Es como si no existieran.
Las pinta porque están dentro de él, no porque quiere complacer, o
ganar dinero, o –de forma más noble– porque quiere dirigirse a sus
contemporáneos y compartir con ellos lo que acaba de descubrir. Él es
el único destinatario de sus imágenes. Para valorar la singularidad de
esta situación, recordemos que se trata de una de las más importantes
series pintadas por un artista moderno, e imaginemos por un instante
que Miguel Ángel, en lugar de cubrir con sus frescos las paredes de
una capilla del Vaticano, hubiera pintado las imágenes de la capilla
Sixtina en las paredes de su desván poco antes de marcharse de la casa
para siempre.

Las cosas cambiaron mucho después. Se traspasaron las pinturas a
tela y se expusieron en el Museo del Prado, donde se han convertido en
objeto de admiración universal y de incalculables comentarios, que

giran en torno a dos cuestiones complementarias: ¿Por qué las pintó? ¿Qué significan?

Para intentar trazar las razones que llevaron a Goya a cubrir de pinturas las paredes de dos grandes habitaciones de su casa, recordemos antes las circunstancias que conocemos. He comentado ya la proximidad inmediata del autorretrato con el doctor Arrieta, así como la ausencia de toda mención a esas pinturas en aquel momento, tanto por parte del pintor como de sus amigos. Debemos detenernos un poco más en cómo se separa de ellas, a finales de 1823. Ahora sabemos que Goya no tiene nada de artista puramente intuitivo, presa de pulsiones irresistibles. No es un hombre que actúe sin pensar y sin hacer alguna reflexión sobre lo que crea. Es imposible que no sepa que esas imágenes, pintadas sin duda durante buena parte de los años 1821 y 1822, representan, tanto en cantidad como en calidad, la culminación, cuando no la cima, de toda una vertiente de su obra. No ha creado nada tan ambicioso en los años anteriores, ni lo hará en los que le quedan de vida. Pero no sólo cede la casa a su nieto (que podría haberlo hecho por comodidad), sino que la abandona, al parecer sin lamentarlo, después se marcha del país, y durante sus breves visitas a Madrid no le presta la menor atención. ¿Cómo explicar que no le interesaran lo más mínimo sus obras maestras?

Al ver las Pinturas negras, algunos espectadores un poco ingenuos se han preguntado si no eran la prueba tangible de que el pintor estaba loco, pero es evidente que un loco no habría podido pintar esas imágenes, que en absoluto son producto del arte en bruto. Más bien podríamos decir que son prueba de lo contrario. Hace ya décadas que Goya ha levantado las barreras que encerraban a sus demonios en el inconsciente y los ha dejado invadir sus imágenes. Ha entendido que lo que la Iglesia y las supersticiones populares consideran súcubos y diablos no son más que deseos y pulsiones, miedos y angustias profundamente enraizados en todos nosotros. Por eso les da forma y los muestra, aunque sin darles libre curso, por miedo a que lo dominen. Habrá tenido que vivir las experiencias de una enfermedad casi mortal y la de la compasión desinteresada por parte de su amigo para que sienta por fin que dispone de un apoyo lo suficientemente estable, desde el que puede sacar sus fantasmas a la luz sin temor.

Werner Hofmann tiene razón cuando sugiere que con sus Pinturas negras, aunque también con toda la parte de su obra que las prepara, Goya se convierte en exorcista de sí mismo. En lugar del cura con una

cruz en las manos lanzando imprecaciones está el pintor, armado con
sus pinceles y sus lápices, pero no exorciza a los demás, sino que se
cura a sí mismo. El pintor «inventa y convoca a los monstruos y demonios, y convierte sus oscuras obsesiones en imágenes», porque ahora
sabe que esos seres proceden de las «ocultas profundidades de la psique individual».[37] Precisamente porque la creación de las Pinturas negras es producto de un intento de curarse a sí mismo, Goya en ningún
caso pretende compartirlas, ni siquiera con sus amigos. Las pinta para
liberarse de ellas, no para que lo admiren, lo que quizá explica también
cierto descuido en la manera de trabajar, comparada, por ejemplo, con
El entierro de la sardina (il. 18). Y podemos preguntarnos si, lejos de
constituir una razón para sentir apego por esa casa, no se convirtieron
en la causa de que se marchara. Una vez que ha logrado pintar sus demonios, ya no necesita verlos, ni siquiera le apetece. Lo mejor es empezar una nueva vida en otro lugar.

Esta interpretación permite entender la coherencia de los diferentes hechos que rodean la creación de las Pinturas negras. Pero ¿qué
nos dicen exactamente? Es muy posible que nunca podamos contes-
tar a esta pregunta definitivamente. No se trata sólo del margen de
incertidumbre propio de toda interpretación. En este caso Goya no
nos ha dejado ningún indicio, y no es seguro que quisiera posibilitar
el proceso de desciframiento. Hemos visto que desde los *Caprichos* se
dedicaba a dejar pistas. Ahora, la imposibilidad de determinar el sentido se ha convertido en una de las características de su universo. Por
otra parte, las pinturas han sido trasladadas y restauradas, en ocasiones ampliamente. No sabemos con seguridad dónde estaban empla-
zados originariamente todos los cuadros, pero sabemos que Goya
cuida especialmente el orden en el que aparecen los elementos de
una serie. Sabemos también, por las fotografías antiguas (que datan
de 1860-1880), que se amputó buena parte de la superficie de algunos cuadros y que se borraron algunos detalles que se consideraron
impropios. Según otras informaciones, ha desaparecido una escalera,
también pintada, que unía las dos habitaciones. Por último, también
es posible que el hijo de Goya u otros artistas retocaran las pinturas
mientras todavía estaban en las paredes de la casa. Todo esto no impide que puedan establecerse con certeza algunos datos que facilitan
la comprensión general.

Si observamos estas imágenes en el contexto de las obras anteriores
de Goya, y en especial de las que no estaban destinadas a que las viera

el público en general, su carácter enigmático se atenúa. Desde 1793 –incluso desde 1788, año en que pinta su *San Francisco de Borja*– su obra está jalonada por cuadros que muestran a seres sobrenaturales, brujas que celebran el sabbat, locos y enfermos grotescos, violencia física y multitudes en trance. Las Pinturas negras provocan un impacto tan grande porque en ellas se acumulan sus características. En lugar de pequeños cuadros de gabinete, nos encontramos aquí con catorce paneles de gran formato, pintados sin preocuparse de la perspectiva y de la proporción, y cuyo tema principal sólo era en otras obras un detalle marginal ente otros. Trasladan a la pintura lo que esbozaban los dibujos, y dicen con claridad lo que hasta entonces sólo se había sugerido. Tras haber vivido la guerra, con su cortejo de horrores, Goya sintió que tenía el deber de transmitir al resto de la humanidad lo que sabía. El resultado fue los *Desastres de la guerra* y los cuadros relacionados con ellos. Asimismo, diez años después, siente una especie de obligación de dejar huella de esta otra experiencia espantosa, su visita a lo más profundo del infierno, donde habitan los demonios, es decir, en el interior de sí mismo, no ya en el mundo exterior. Las Pinturas negras son el relato de este viaje al fondo de la noche, el testimonio de que ha cumplido con su deber por segunda vez.

No parece que estos cuadros respondan a un proyecto iconográfico sistemático, lo que además no se ajustaría a lo que suele hacer Goya, y tampoco es necesario convertirlas en alusiones a los acontecimientos políticos de su época. El pintor ha representado una vez más los temas recurrentes de su imaginación, pero acentuándolos y recurriendo a registros diferentes. Podemos observar que, como en toda la parte «nocturna» de su obra, Goya muestra una visión más bien desengañada de la humanidad, aunque sólo sea en las escenas de multitudes, en las figuras que proceden de supersticiones habituales y en la alusión a personajes mitológicos. Desde este punto de vista, las Pinturas negras, realizadas hacia el final de su carrera, son el polo opuesto al que había dado inicio a su actividad artística, ya que los cartones muestran los juegos y placeres de la gente corriente. Al mismo tiempo, el hecho de que Goya haya pasado varios años junto a esas imágenes sugiere que la impresión que le producían no era exclusivamente trágica (lo que suele ser para los espectadores actuales). Podemos suponer que algunas veces los seres grotescos que llenaban las paredes de su casa le hacían más reír que temblar de miedo, que haberlos representado no lo agobiaba, sino que lo aliviaba. La dimensión satírica e incluso cómica de las imágenes debía de ser más clara para él que para nosotros.

Veamos lo que sabemos sobre la disposición originaria de estas imágenes, que puede ayudarnos a interpretarlas. Estaban en dos habitaciones de idénticas dimensiones, una encima de la otra. En la habitación de la planta baja había seis paneles. A la derecha de la entrada, un viejo con otro personaje, y a la izquierda, una mujer que se apoya en una especie de roca y que el pintor Brugada, la primera persona que vio la Quinta y que conocía a la compañera de Goya, identificó como Leocadia (GW 1622). En la pared opuesta, a la izquierda, Saturno devorando a un ser diminuto, y a la derecha, una mujer que empuña una espada, en la que reconocemos a Judith, que se abalanza sobre Holofernes (GW 1625). Entre estas dos paredes, una frente a la otra, dos grandes paneles con múltiples personajes, que en el inventario póstumo se describen como *El gran Cabrón* (o *El aquelarre*) (GW 1623) y *La romería de San Isidro* (GW 1626). No obstante, debemos recordar que Goya no dejó estos títulos, por lo tanto no podemos demostrar estas identificaciones tradicionales, ni siquiera la de Saturno. Un séptimo panel, más pequeño, que representa a dos viejos (no sabemos si hombres o mujeres), estaba quizá en esta misma habitación, encima de una puerta, pero también puede ser que proceda de otra sala.

Disponemos pues aquí de tres pares de paneles. El primero reúne las imágenes cercanas a la entrada, entre ellas la de Leocadia, que probablemente vivía en la casa. Al otro lado de la puerta sería lógico encontrar una representación del dueño de la casa, el pintor, pero en su lugar vemos a dos personajes (GW 1627, **il. 21**) muy diferentes entre sí. El de la derecha, situado más atrás, se parece a otras caras grotescas de Goya, y parece que grita algo al oído del personaje de la izquierda, que, por el contrario, parece un anciano digno y tranquilo que sujeta en las manos un gran bastón. ¿No podría ser ese grito indicio de que el anciano es sordo? También podemos pensar que el personaje de la derecha, de rasgos deformes, no es un ser humano como los demás, sino un demonio, el demonio que habita en la mente de Goya y le inspira sus negras visiones. Si éste es el caso, podríamos ver en el anciano una representación alegórica del propio Goya, en absoluto caricaturizado.

Esta interpretación podría confirmarse en un dibujo probablemente posterior (G 54, GW 1758, **fig. 31**), que representa a un anciano bastante parecido, que en este caso se apoya en dos bastones. La leyenda del dibujo dice: *Aun aprendo*. Volveremos sobre el significado de

Fig. 31. *Aun aprendo.*

esta frase. Lo que ahora nos importa es que emplea la primera persona
del singular para una imagen que físicamente no se parece en nada a
Goya. Sabemos que el pintor suele representarse al principio de sus
ciclos: un retrato encabezando los *Caprichos* y una imagen exclusivamente simbólica delante de sus *Desastres*, la de un hombre arrodillado
y con los brazos abiertos, en un gesto que imita el de Cristo. Es probable que hiciera lo mismo al principio de las Pinturas negras. Si esta suposición es correcta, podemos concluir que estas dos imágenes, situadas junto a la puerta, no forman parte del universo que se desplegará
en el resto de ese espacio.

Al fondo de esta misma habitación volvemos a encontrar a un
hombre y una mujer, pero ya no se trata de seres humanos normales y
corrientes, sino de dos personajes legendarios, sacados uno del Antiguo Testamento, y el otro de la mitología griega o romana. Es importante tener en cuenta lo que hacen. Una joven (Judith) corta la cabeza
a un hombre, tema que Goya había ya pintado en la época de los
Caprichos (GW 636). En cuanto al hombre, Cronos o Saturno, está representado como un gigante enorme, de cierta edad y devorando a un
ser humano (GW 1624, **il. 22**). A diferencia del dibujo que Goya había
dedicado al mismo tema veinticinco años antes (GW 635, **fig. 32**), en
el que el titán se comía a varios hombres pequeños, y a diferencia también del cuadro de Rubens sobre el mismo tema, que Goya había podido ver en Madrid, el cuerpo que devora no es ni un niño ni un hombre,
sino que se trata del cuerpo de una mujer joven. Esta asociación de
Saturno con la sexualidad masculina la sugiere además otro dato: al
parecer, la antigua fotografía de este panel muestra al personaje con el
sexo en erección. Este detalle pudo desaparecer (o ser disimulado) en
el momento en que trasladaron las pinturas murales a tela. Recordemos también que el mito griego (o romano), aunque no habla de una
hija devorada por su padre, posee fuertes connotaciones sexuales (no
sólo asociaciones con la melancolía y el paso del tiempo). En un primer
momento Cronos le había cortado el pene a su padre, Urano, y sufrirá
la misma suerte a manos de Zeus, su hijo.

Así, las dos imágenes representan el asesinato de una persona del
sexo opuesto. Ofrecen una interpretación extrema de las relaciones
entre los dos sexos, pero una interpretación que tiene numerosos ante-
cedentes en la obra del pintor durante los años que separan las Pinturas negras de los *Caprichos*. Goya raramente ha representado versiones idílicas, incluso simplemente apacibles, de las relaciones entre

Fig. 32. *Saturno*.

hombres y mujeres. Desde antes de su enfermedad ofrece una visión satírica de la pareja en el cuadro de 1792 titulado *La boda* (GW 302), cartón para la serie de tapices «rústicos y cómicos». En él los novios quedan en especial mal lugar. Al haberse frustrado las esperanzas que pudo haber depositado en su relación con la duquesa de Alba, Goya parece desconfiar todavía más a este respecto. En los *Caprichos*, unas veces son las mujeres las que despluman a los hombres, y otras son los hombres los que intentan aprovecharse de las mujeres. Goya no muestra en esta serie el amor feliz y apacible. Lo ideal sería separarse, pero no siempre parece posible, como muestra el *Capricho 75*, en el que vemos a un hombre y una mujer atados entre sí, sujetos por las garras de un ave nocturna (el demonio). La leyenda es un grito angustiado: «¿No hay quién nos desate?». La separación es tanto más difícil cuanto que en España no existe el divorcio...

Muchos dibujos más tardíos redundan sobre este tema: la vida en pareja es un yugo del que ojalá pudiéramos librarnos. El *Disparate 7*, «Disparate desordenado», también llamado «Disparate matrimonial» (GW 1581, **fig.** 33), más o menos de la misma época que las Pinturas negras, muestra a un ser monstruoso, una especie de pareja de siameses con una cabeza con dos caras, cuatro brazos, cuatro piernas e incluso ocho pies, que se dirige a un grupo de espectadores, parecido a las criaturas que pueblan las paredes de la Quinta del Sordo. Este ser doble no parece precisamente feliz.

Las relaciones entre los sexos están a menudo impregnadas de violencia, como pone de manifiesto la gran cantidad de violaciones que Goya muestra en sus cuadros y en los *Desastres de la guerra*. Esta violencia no es sólo producto de bandidos y soldados, sino que impregna la vida de las parejas. Vemos a un joven que golpea a su compañera con un bastón (B 34, GW 402), al parecer una reacción espontánea de un hombre celoso. Otro dibujo (F 18, GW 1446, **fig.** 34) muestra una escena de violencia conyugal: junto a una cama deshecha, el hombre sujeta a la mujer del pelo y la golpea, mientras ella intenta defenderse. El orinal volcado muestra la brutalidad de sus gestos. La violencia masculina supera con mucho la de las mujeres, pero también éstas la protagonizan, aunque para Goya tiene que ver con otro tipo de situaciones, como la mujer que se dispone a masacrar a un leñador dormido con su propia hacha (F 87, GW 1503)... ¿para apoderarse de sus escasos bienes? Un dibujo vinculado al álbum D (GW 1379, **fig.** 35) muestra a una mujer en la postura de Saturno. Esta especie de bruja, con

Fig. 33. «Disparate desordenado», *Disparate 7*.

Fig. 34. *Lucha conyugal.*

Fig. 35. *Mala muger*.

cara de muerta, se traga a un niño. Es una caníbal, una ogra. La leyenda dice de forma atenuada: *Mala muger*. Las imágenes de Saturno y de Judith pueden interpretarse como el paroxismo de esta guerra de sexos, que ponen también de manifiesto lo que tienen en común. Están frente a las imágenes de la pared opuesta, que también muestran a una joven y un anciano, pero en posturas mucho más reflexivas. En un lado reina la violencia, y en el otro la paz.

Los dos grandes paneles de la misma habitación, *El gran Cabrón* y *La romería de San Isidro*, son bastante parecidos. Ambos muestran una multitud en trance. El panel de la derecha retoma un tema ya tratado en *La pradera de San Isidro* (GW 272), una tela que perteneció al duque de Osuna. Sin embargo, el contraste entre el ambiente alegre del cuadro antiguo y el delirio que expresan los espantosos rostros de los peregrinos en el panel de la Quinta del Sordo es total. El situado en frente, a la izquierda de la entrada, representa –también en este caso como uno de los primeros cuadros de brujas de Goya (*Aquelarre*)– al gran cabrón (el diablo) rodeado de sus adoradores. Sin embargo, el tratamiento aquí es muy diferente y recuerda más bien a *El entierro de la sardina* (il. 18). Las figuras no están dibujadas ni separadas claramente entre sí, y los rostros se reducen a muecas grotescas. Además, el gran cabrón ya no es el personaje central. Aparece de espaldas, reducido a una silueta colocada a la izquierda, efecto todavía más chocante teniendo en cuenta que en su origen el panel se prolongaba hacia la izquierda más de un metro. El centro de atención es ahora la multitud embrutecida y grotesca, que ha sustituido a las pocas brujas casi elegantes del cuadro antiguo.

Si comparamos esta imagen con el cuadro anterior, de veinticinco años antes, nos damos cuenta de que incluso el lugar de lo sobrenatural en el universo de Goya ha cambiado. Telas como *El aquelarre* (il. 9) pertenecían al género fantástico. El contenido de la visión estaba representado con verosimilitud, pero su estatus era incierto. ¿No era producto de un sueño, un arrebato de locura o una superstición popular? Se mantenía la duda respecto de la realidad de lo que se mostraba. No puede decirse lo mismo de *El gran Cabrón* de las paredes de la Quinta del Sordo. Comparar las Pinturas negras con los cuadros de brujería o con los *Caprichos* permite valorar el camino que recorrió Goya. Ya no queda rastro del carácter lúdico o satírico de las antiguas imágenes. Las figuras que pinta un cuarto de siglo después deben tomarse al pie de la letra, como informe fiel de lo que ha visto el pintor.

La nueva imagen ya no es *fantástica*, sino *fantasmagórica*. Una muestra a seres reales expresando sus dudas, pero lo que muestra la otra son las visiones del pintor con total sinceridad. Estas imágenes viven realmente en su mente, y nada nos invita a dudarlo, ni siquiera nos lo permite. Así, el pintor anticipa la evolución del género fantástico del siglo XX, cuando se deje de oponer lo real a lo imaginario para mostrar la propia singularidad de lo real. Goya ya sólo pinta sus fantasmas, pero esos fantasmas conducen a la verdad de lo real.

Las dos imágenes situadas frente a frente ofrecen una representación caricaturizada del populacho, crédulo y potencialmente violento. La excusa por la que se ha reunido es aquí una ceremonia religiosa católica, la romería de San Isidro. En el anterior se trata de un ritual presidido por el diablo en persona. Las caras de los fieles son igualmente inquietantes en los dos cultos. Goya no parece preferir una creencia a la otra, ni hacerse ilusiones sobre la inteligencia y la lucidez de esta multitud.

Los paneles de la primera planta aluden a temas habituales del universo de Goya, pero de forma menos sistemática. Son visiblemente menos luminosos que los de la planta baja y suponemos que los pintó antes. Al fondo de la sala hay dos paneles que casi podrían considerarse pinturas de género, *Mujeres riendo* (GW 1618) y *Hombres leyendo* (GW 1617), que podemos pensar que ilustran, en el primer caso, el embrutecimiento del pueblo (suele interpretarse que el hombre del que se ríen las mujeres está masturbándose), y en el segundo, una actividad que recomendaban los ilustrados. Se trata de actividades cotidianas, condenables o admirables, pero el contenido anecdótico importa poco. Se han eliminado los detalles materiales en beneficio de los gestos y las actitudes. Junto a ellos hay otros dos cuadros: uno, *La procesión del Santo Oficio* (GW 1619), recuerda las multitudes de las procesiones de la planta baja, por lo tanto ahora se equiparan los rituales de la Inquisición con las ceremonias diabólicas; el otro representa dos figuras perfectamente simétricas, dos campesinos hundidos en la tierra hasta las rodillas que se pelean a garrotazos (GW 1616). Puede verse como una imagen de las luchas fratricidas que jalonan la historia de la humanidad, desde Caín y Abel hasta los enfrentamientos entre conservadores y liberales en España, luchas que resultan ser trágicas para ambas partes y que amenazan con provocar su mutua destrucción, como sucede con estos campesinos, a los que casi se traga la tierra. Los dos cuadros siguientes muestran a personajes sobrenaturales, a la izquierda *Las Parcas* (GW 1615) y a la derecha *Asmodea* (GW 1620), que recuerdan a otras figuras imaginarias de la época de los *Caprichos*. Los dos viejos que comen con gula (GW 1627a) estaban seguramente a la izquierda de la puerta de entrada, completando el cruel inventario que hace Goya del mundo que lo rodea. Sus caras son todavía más grotescas que las de los *Dos viejos*.

Con esta enumeración vemos que Goya adopta libremente temas de tradiciones muy diversas –mitología antigua, personajes bíblicos, supersticiones populares, escenas de género...–, en lugar de ponerse al servicio de una de ellas. Su unidad procede del hecho de que todos ellos forman parte del universo personal del pintor. Goya recurre a todos los elementos a su alcance para su proyecto. Todos estos personajes espantosos emanan de él mismo, y lo sabe, pero plasmarlos en las paredes de la casa le permite tomar distancias con ellos.

En las Pinturas negras, en un gesto de llamamiento y de expulsión a la vez, Goya ha exteriorizado por última vez esas fuerzas que amenazan a la humanidad desde dentro. Romain Gary, en un gesto similar, al principio de su autobiografía, *La promesa del alba*, convoca lo que él llama «la cohorte enemiga que se inclina sobre mí», la serie de demonios que no lo abandonan jamás. «El primero es Totoche, el dios de la estupidez [...] Está Merzavka, el dios de las verdades absolutas, una especie de cosaco de pie sobre montones de cadáveres, con la fusta en la mano [...] Está también Filoche, el dios de la mezquindad, de los prejuicios, del desprecio, del odio [...] Es un maravilloso organizador de movimientos de masas, de guerras, de linchamientos, de persecuciones [...] Hay otros dioses, más misteriosos y turbios, más insidiosos y enmascarados, difíciles de identificar; sus cohortes son numerosas, y numerosos los cómplices que tienen entre nosotros.»[38] Ésos son los que Goya pintó en las paredes de su casa y grabó en sus últimas placas de cobre.

Las Pinturas negras representan la expresión pictórica adecuada para lo que Goya quiere mostrar sobre la violencia del mundo exterior, pero también sobre los demonios que se han instalado en su mente. Suponen la síntesis de dos momentos previos en su evolución. Las visiones que consigna en los *Caprichos* se unen a las abrumadoras constataciones que dieron lugar a los *Desastres de la guerra*. Al mismo tiempo cambia la posición del pintor respecto de sus imágenes. Sus pinturas murales le permiten ahora expulsarlas, de modo que la representación asume una función de exorcismo. Al ser consciente de sus obsesiones, al exteriorizarlas en su obra, puede liberarse de ellas, o al menos domesticarlas, y permite también que quien las contempla haga lo mismo. Suponemos que lo que ha facilitado este cambio ha sido la compasión de la que ha sido objeto. Es como si, gracias a este descubrimiento, Goya hubiera logrado alejar de sí las visiones que hasta entonces se apoderaban de él y realizar ese ideal del que hablaría en sus últimos años, mostrar los planos y las cosas «tal como se ven a distancia, a menos que se sea miope».

El último panel, a la derecha de la puerta de la primera planta, es el más raro y no tiene equivalente en la obra del pintor. Se trata de *El perro* (GW 1621, **il. 23**). Es tan curioso que hay quien se ha preguntado si no se trataba de un fragmento de una imagen más grande, pero el examen minucioso del cuadro no ha mostrado el menor rastro de ello. El perro no sólo esta reducido a la cabeza, sino que ocupa una parte muy pequeña de la superficie, que está cubierta de pintura, pero no representa nada. El perro mira a alguien o algo, pero no podemos saber el qué, y esta imposibilidad de dar sentido a la imagen se convierte en el símbolo de su vacuidad. Aquí queda eliminada toda idea del espacio pictórico, y al mismo tiempo toda idea de humanidad. Es el punto extremo que alcanza Goya investigando las posibilidades de la pintura, y es también la última imagen que vemos en su casa (partiendo de que la de *Leocadia* es la primera). Unos veinte años después, Turner pinta también un famoso perro solitario, pero, aunque no se ve ningún objeto a su alrededor, mantiene la idea de un espacio en el que está el animal. Goya nos hace salir del mundo que conocemos, pero sólo nos muestra el vacío.

Del mismo periodo que las Pinturas negras son probablemente los *Disparates*, palabra que evoca la extravagancia, la incoherencia y la locura. Interpretar esta cuarta serie de grabados es todavía más difícil, porque la serie quedó inconclusa, el orden definitivo de las imágenes es incierto y muchas de ellas no llevan leyenda. Pero si nos basamos en el orden que observamos en las demás series, podemos suponer que uno de estos grabados (GW 1600, **fig. 36**) era el que debía de encabezar la serie. Representa a un hombre mayor que se alza desde un cuerpo dormido. Como imagen inaugural, sería pues, una vez más, un retrato simbólico del autor, que, un poco como en la figura 6 y en otros dibujos, está presente en el mundo real (tumbado) y a la vez en el sueño (incorporado).

Goya se enfrenta a sus visiones, que detallará en los siguientes *Disparates*. Distinguimos a su alrededor algunos animales, como aves

Fig. 36. «Disparate fúnebre», *Disparate 18*.

Fig. 37. *Camino del infierno.*

nocturnas, tortugas y un perro. En el centro una arpía, medio mujer, medio pájaro, y alrededor siluetas de amenazantes seres humanos que hacen muecas, los fantasmas que habitan el mundo nocturno que Goya lleva décadas explorando: pasiones incontrolables, violencia, estupidez e ignorancia. Los otros veintiún grabados desarrollan alucinaciones de pesadilla: un inmenso fantasma sembrando el pánico; un gigante de carnaval que se ríe y baila, pero que también aterroriza; cuerpos descuartizados y maltratados, seres sobrenaturales y una multitud caótica.

Es como si Goya enlazara con el proyecto de los *Sueños*, anterior a los *Caprichos*. Además afloran aquí reminiscencias de los cartones para tapices, de los *Caprichos*, de los *Desastres de la guerra* y de los dibujos. Toda la serie ilustra la ruptura con la representación del mundo visible, que Goya sustituye por la de los habitantes de su mundo interior. El espacio está más radicalmente desestructurado que nunca, y no hay puntos de referencia. ¿Por qué no se limitó a los dibujos, con los que había empezado, sino que decidió pasar al grabado? El grabado facilita reproducir y difundir imágenes, pero estas imágenes especialmente enigmáticas nunca saldrán de su estudio. Quizá también en este caso contaba con los espectadores y aficionados del futuro, que estarían en condiciones de entenderlos totalmente.

Llegamos a una especie de paroxismo en otro dibujo que data de la misma época y que probablemente estaba destinado a preparar una litografía, aunque no tengamos rastro de ella (GW 1647, **fig. 37**). En él vemos a varias personas desnudas, a las que empuja hacia la derecha un diablo también desnudo. Un grupo de animales monstruosos observa la escena con delectación. Las víctimas humanas se aferran unas a otras, y una mujer agarra del pelo al hombre que está detrás de ella. Se ha titulado este dibujo *Camino del infierno*. Por mi parte (aunque no soy el primero), veo en él la imagen premonitoria de lo que imaginamos de los campos de exterminio. El nombre que se daba al camino que llevaba al exterminio en Treblinka era *Himmelweg*. Es quizá la imagen más espantosa que pintó Goya.

El último viaje

Como pintor del rey, Goya, que hace lo posible por no perder su sueldo, debe recibir autorización para todos sus desplazamientos. Pone la excusa de que necesita «tomar aguas» para curarse y consigue los documentos necesarios. En junio de 1824 llega a Francia, donde pasará los últimos años de su vida. Primero va a Burdeos, donde viven muchos emigrados españoles, y en especial su amigo Moratín, con el que ha mantenido una estrecha relación. Después de llegar, Moratín envía a un amigo una carta en la que describe los primeros pasos en Burdeos de Goya, que al parecer da muestras de una sorprendente vitalidad. Leemos que llega «sordo, viejo, torpe y débil, y sin saber una palabra de francés, y sin traer un criado (que nadie más que él lo necesita)», pero a la vez está «tan contento y tan deseoso de ver mundo». Su apetito se amplía a lo físico: «Comió con nosotros en calidad de joven alumno» (27 de junio de 1824). Este nuevo deseo de vivir enseguida lo empuja a ponerse en acción, y apenas unos días después de haber llegado a Burdeos vuelve a marcharse de viaje, esta vez a París, donde pasará los meses de verano.

En la capital francesa se encuentra con otros amigos españoles. Según los informes de la policía francesa (que sigue sus movimientos), «sólo sale para visitar los monumentos y pasear por los lugares públicos» (15 de julio de 1824). Ese viaje nos proporciona una serie de dibujos en los que consigna sus observaciones y que acompaña con leyendas como «Lo vi en París». En septiembre vuelve a Burdeos y se instala en una cómoda casa, donde se une a él Leocadia, que llega desde España con su hijo menor y su hija. Goya volverá dos veces a Madrid para gestionar sus asuntos económicos, lo que muestra que puede circular libremente y que las autoridades españolas en ningún caso lo consideran un exiliado indeseable. Todavía tiene problemas de salud (Moratín informa que en mayo de 1825 ha estado a punto de morir), pero sus ganas de vivir, de aprender y de crear no se debilitan. En una carta de finales de ese mismo año escribe: «Ni vista ni pulso ni pluma ni tintero, todo me falta, y solo la voluntad me sobra» (20 de diciembre de 1825). El año anterior había dicho a su hijo que «puede que me suceda lo que a Ticiano, vivir hasta los noventa y nueve años» (24 de diciembre de 1824). Sin embargo, no suele contentarse con lo que ya ha hecho. En su breve biografía, el hijo de Goya comenta: «Desconfiaba de sus producciones, y alguna vez que se le quería resistir algo, decía: "se me ha olvidado pintar"».

Además de técnicas bien conocidas, Goya desarrollará otra mucho más innovadora, que le permite pintar miniaturas en marfil, de las que se han conservado diez. Veamos cómo lo recuerda su amigo de los últimos años, el joven pintor Antonio Brugada: «Ennegrecía la placa de marfil y dejaba caer una gota de agua, que, al extenderse, eliminaba una parte del fondo y trazaba caprichosamente manchas más claras. Goya aprovechaba esos surcos y los convertía en algo siempre original e inesperado».[39] Así, el dibujo que incorpora Goya a esas manchas caprichosas desempeña un papel auxiliar. Ya no se trata del capricho del pintor, sino del de las herramientas que utiliza (otra innovación que anuncia el futuro). Esta manera de someterse al azar no le impide recuperar sus temas y su estilo habituales, como vemos, por ejemplo, en el *Fraile hablando con una vieja* (GW 1685), que parece salido de las Pinturas negras. Goya es consciente de la originalidad de su intento. Escribe a un amigo: «El invierno pasado pinté sobre marfil y tengo una colección de cerca de cuarenta ensayos, pero es miniatura original que yo jamas he visto por que toda está hecha a puntos» (20 de diciembre de 1825).

Al mismo tiempo empieza a perfeccionar una nueva forma de estampa, la litografía, que había intentado, aunque con menos éxito, antes de instalarse en la Quinta del Sordo. Ahora avanza rápidamente, como testimonian las imágenes que realiza y de las que se siente orgulloso. Además, y quizá por influencia de su nuevo dominio de la litografía, renueva totalmente la técnica de sus dibujos. En lugar de tinta china y sepia, utiliza piedra negra y lápiz de litografía. Hace también pintura a cuchillo, en lugar de utilizar los pinceles. Alguien le escribe preguntándole si no sería posible hacer una nueva tirada de los *Caprichos*. Responde que ya no tiene las planchas, y después añade otra razón a su negativa: «Tampoco las copiaría, ya que ahora tengo mejores ideas, que podrían venderse con más provecho».[40] A lo largo de toda su vida a Goya le apasiona dominar la técnica de su oficio.

En un plano más general, acepta los cambios que le impone el paso del tiempo. No es casualidad que en muchas ocasiones encontremos en sus dibujos la imagen de un anciano con infinita curiosidad, como en E 15 (GW 1390), dibujo que lo muestra canoso y con barba, inclinado sobre un libro. La leyenda dice: *Mucho sabes y aun aprendes.* O en el dibujo ya comentado (GW 1758, **fig.** 31), en el que el anciano intenta andar apoyándose en dos bastones y nos dice: *Aun aprendo.* Por los recuerdos de Brugada sabemos que Goya se veía bien así. Es un autorretrato alegórico. «¡Qué humillación! ¡A los ochenta años me sacan a pasear como a un niño! ¡Tengo que aprender a andar!», exclamaba.[41] Al viejo gruñón no le gusta nada este aprendizaje, pero reconoce que es necesario.

Mantiene su actividad de alto nivel como pintor. No siempre es fácil fechar los cuadros que pinta en sus últimos años, puesto que no son producto de encargos y no estaban destinados a circular entre el público. Moratín describe así la actividad del pintor: «Está muy arrogantillo y pinta que se las pela, sin querer corregir jamás, nada de lo que pinta» (28 de junio de 1825). Se han consignado una quincena de retratos, básicamente de amigos, y una tauromaquia. Otros cuadros han desaparecido (un baile de máscaras) o son de atribución dudosa. En sus últimos años pintará también un cuadro que se haría famoso, *La lechera de Burdeos* (GW 1667, **il.** 24), retrato de una joven que muestra un estilo nuevo. En algunas características se parece a *Leocadia*, la imagen de la compañera de Goya que forma parte de las Pinturas negras: el mismo fondo indeterminado, formado por una mezcla de colores, y la misma actitud del personaje, que escucha en actitud pensativa. Sin embargo, vista de perfil, la mujer de *La lechera* es más joven. Resulta conmovedor pensar que este cuadro, quizá el último que Goya terminó, no representa a un demonio, no muestra la menor atracción por los abismos y no caricaturiza ninguna debilidad humana, sino que da testimonio de la benevolencia del pintor hacia su personaje, esa mujer hermosa y reservada a la vez.

A esto se añaden los dibujos, ese diario que siempre lleva. Durante este periodo Goya completa otros dos álbumes. El primero, llamado «G», está formado por sesenta dibujos con leyenda; el segundo, llamado H, por sesenta y tres, en su mayoría sin leyenda. Como antes, encontramos una mezcla de observaciones, recuerdos y fantasmas. Goya consigna, por ejemplo, los curiosos medios de locomoción que utilizan algunos habitantes de las grandes ciudades francesas (una carreta tirada por un perro, que vio en París), y también los extraños artículos que se venden en el mercado de Burdeos, como una serpiente y un cocodrilo. Junto con estos croquis tomados del natural aparecen personajes habituales de la vida popular en España y de rituales colectivos. Las brujas siguen volando por los aires, como los frailes y un perro gigante (G 5, GW 1715), un animal extraño que puede volar y nadar, con un libro a la espalda, y también toros flotando en el limbo, que aparecen en un *Disparate* no numerado y titulado *Disparate de toritos*, también llamado *Lluvia de toros* (GW 1604). También los animales se han liberado de las leyes de la gravedad.

Goya sigue mostrando sus visiones de sueños o de pesadillas, como en *Gran disparate* (G 9, GW 1718, fig. 38). Esta extraña escena incluye a un hombre que se ha quitado la cabeza con una mano, y con la otra se mete una cuchara en la boca. Otro hombre vierte un líquido por un embudo hundido directamente en el tronco del primero. Y otro se limita a observar tranquilamente la escena. Varios dibujos muestran al hombre que sueña frente a los monstruos nocturnos. Uno de ellos (Ga, GW 1720) lo representa doble: despierto, ve desde fuera cómo maléficas aves nocturnas lo atacan mientras duerme.

La vida conyugal siempre inspira desconfianza a Goya. Un dibujo con la leyenda de *Mal marido* (G 13, GW 1721) muestra a un hombre doblemente violento. Está subido a hombros de su mujer y la golpea con un látigo, como si fuera una mula. Otro propone una solución irónica a los problemas de pareja. Representa a un ser con dos cabezas, una masculina y otra femenina, que sonríen amablemente. La leyenda dice: *Segura unión natural, Hombre la mitad, muger la otra* (G 15, GW 1723). Otro dibujo podría interpretarse como una alusión a la situación personal de Goya (H 57, GW 1815). En él vemos a un viejo medio desnudo sujeto por una mujer más joven y más fuerte. Los mantiene unidos un hombre-murciélago, encarnación del diablo y seguramente de los placeres de la carne.

El tema de la violencia sigue ocupando un gran espacio. Sorprende ver que, apenas llegado a Francia, Goya quisiera representar la técnica de ejecución capital típica de este país, la guillotina. Así, tras el garrote español, vemos la máquina francesa. Parece haber realizado los dos dibujos sobre la guillotina a partir de observaciones personales. Uno (G 49, GW 1754) muestra una gran guillotina abierta. Al lado está la futura víctima, a la que han bajado la camisa para ofrecer mejor su cuello a la cuchilla. El verdugo sujeta con fuerza al hombre,

Fig. 38. *Gran disparate.*

y el cura le muestra una cruz. La mirada abatida del futuro decapitado está fija en este objeto religioso, que supuestamente debería ofrecerle consuelo. El otro dibujo (G 48, GW 1753), que también se titula *Castigo francés*, muestra la escena unos minutos después, varios segundos antes de que caiga la cuchilla. El verdugo agarra ya la cuerda que la desbloqueará. El aparato sujeta la cabeza del condenado, del que sólo vemos el pelo. El trazo de Goya es muy preciso, sobrio como la leyenda del dibujo. Logra ponernos en contacto inmediato con esta forma de barbarie de Estado que consiste en matar a hombres con la pretensión de proteger a sus semejantes de otras muertes.

En los dibujos de Goya, la violencia llamada legítima está junto con la que no lo es, la de los particulares, tanto bandidos como simples hombres encolerizados. Vemos a las víctimas atadas, heridas, mutiladas, apuñaladas, fusiladas o colgadas. Los asesinos se parecen físicamente a ellas, con la salvedad de que la angustia de unos queda sustituida en los otros por la expresión de triunfo (como G 47, GW 1752) o de locura (H 34, GW 1796). Un dibujo turbador (H 38, GW 1800, **fig.** 39), que hoy en día lleva por título *Victoria fácil*, muestra a dos hombres luchando a muerte. Uno ha ganado y se dispone a matar al otro. Lo extraño es que los dos hombres se parecen como si fueran gemelos: la misma ropa, la misma corpulencia, el mismo rostro e incluso la misma sonrisa satisfecha. ¿La violencia humana tendrá siempre lugar entre enemigos complementarios, entre hermanos intercambiables?

Un tema que Goya nunca había abordado tan de cerca es el de la locura. Unos quince dibujos ilustran sus diferentes manifestaciones. La mirada que capta el pintor no es la de un hombre normal, pero expresa sentimientos comunes, unas veces la rabia, otras la resignación, otras incluso la satisfacción (los locos no se parecen entre sí). Goya parece no juzgarlos. Se limita a mostrarlos. También ellos son nuestros hermanos. Un *Loco furioso* (G 33, GW 1738) está encerrado en una celda, ha pasado la cabeza, un brazo y una mano por los barrotes de la ventana y su mirada está perdida en la lejanía. Tiene la cabeza sujeta por grilletes, de modo que está doblemente encerrado. El espectador queda situado fuera de la celda. Por el contrario, en otro *Loco furioso* (G 40, GW 1745), cautivadora imagen de la angustia, el espectador está dentro. El loco tiene las manos atadas a la espalda, y su celda invita a pensar en una cárcel. El demente más inquietante es quizá el llama-

Fig. 39. *Victoria fácil.*

do *El idiota* (H 60, GW 1822, fig. 40), última visión de la locura humana. Nada demuestra que Goya visitara un manicomio en Burdeos. Hace mucho tiempo que las manifestaciones de la locura son frecuentes en él.

Nos equivocaríamos si a partir de estas imágenes espantosas dedujéramos que Goya llevaba una vida atormentada y que no lograba dominar sus fantasmas. Por el contrario, su presencia en los dibujos parece haberle librado de ellos en la vida cotidiana. Los testimonios de los que disponemos sobre sus últimos años en Burdeos, lejos de su país, lo muestran apasionado por su oficio y cariñoso con sus seres queridos, incluso con una especie de serenidad que no había tenido antes. Siente gran cariño por Rosario, la hija de Leocadia, que cuando llega a Burdeos tiene diez años. Tanto si es su padre biológico como si no, tiene por la niña sentimientos paternales. Está convencido de que posee un gran talento para la pintura y dedica tiempo a ocuparse de su educación artística. Incluso dice a un amigo que ella es «el fenómeno tal vez mayor que habrá en el mundo de su edad» (28 de octubre de 1824). Su relación con la madre de la niña parece ser menos apacible, aunque sigue con ella hasta su muerte y le ofrecerá *La lechera*. Se cree que una litografía de Burdeos, *La lectura* (GW 1699), muestra a Leocadia leyendo a sus dos hijos. La única carta que Goya escribe a su compañera pone de manifiesto los momentos de ternura que seguramente vivían juntos. «Acabo de leer tu magnífica carta y me ha hecho tan feliz que si te digo que me ha puesto mejor, no exagero en absoluto.» Y concluye: «Mil besos y mil cosas de tu querido Goya» (13 de agosto de 1827).[42]

Goya se preocupa también de su familia legítima y vela por asegurarles ingresos más que suficientes. Siente un gran cariño por su nieto Mariano, como también quería mucho a su hijo Javier cuando era niño: «Tengo un niño de 4 años que es el que se mira en Madrid de hermoso, y lo he tenido malo, que no he vivido en todo este tiempo», escribía a Zapater (23 de mayo de 1789). Deja a Mariano su casa con las Pinturas negras y hace varios retratos enternecedores de él. A los veintidós años, en 1828, va a Burdeos a ver a su abuelo, que se emociona tanto que se debilita. Escribe en una carta a su hijo: «No te puedo decir más que de tanta alegría me he puesto un poco indispuesto y estoy en la cama». Y añade que ojalá pudiera ir también Javier «para que sea mi gusto completo» (principios de abril de 1828). Será su última carta. Javier se desplazará a Burdeos, pero demasiado tarde para

Fig. 40. *El idiota.*

Fig. 41. *Fantasma bailando con castañuelas.*

Fig. 42. *Viejo en un columpio.*

ver a su padre vivo. Mariano ha llegado el 28 de marzo, Goya cae enfermo el 2 de abril y muere el 16 de abril de 1828, a los ochenta y dos años.

Entre los últimos dibujos de Goya hay varios que muestran a personajes ancianos, pero activos y felices. Ya no se burla de ellos, como en algunos dibujos de décadas anteriores. La edad lo ha hecho más tolerante con la torpeza de los viejos. Así, un lego patinando (H 28, GW 1790), un fraile flotando por los aires (H 32, GW 1794) y dos viejas comadres bailando (H 35, GW 1797). Encontramos además un fantasma bailando con castañuelas (H 61, GW 1818, **fig. 41**), que parece haberse convertido en un compañero bienintencionado, en absoluto atemorizador. Uno de los últimos dibujos de Goya puede además interpretarse como un autorretrato alegórico. Muestra a un viejo en un columpio, descalzo y riéndose a carcajadas (H 58, GW 1816, **fig. 42**). Goya ha cumplido ya su destino y se despide del mundo y de nosotros con alegría.

El legado de Goya

El acontecimiento decisivo en la evolución de Goya es su decisión de dividir en dos su creación, de aceptar la escisión entre arte público y arte privado, un desdoblamiento totalmente inédito antes de él. En uno de sus caminos sigue pintando según el canon que admite la sociedad de su tiempo y ganando dinero gracias a sus obras; en el otro, sigue investigando sin preocuparse lo más mínimo de la opinión pública. La razón inicial de esta división es su enfermedad de 1792 y la consiguiente sordera, pero esta concatenación en absoluto era previsible. Otra persona, otro pintor habría podido reaccionar de forma totalmente diferente. La enfermedad empuja a Goya a no preocuparse sólo de los encargos que le hace la sociedad, sino a expresar, en los años que le quedan de vida, sus sensaciones, sus visiones y sus emociones, a actuar bajo la presión no de las circunstancias externas, sino de las necesidades internas.

Con el paso de los años se añadirán otras razones. Durante la guerra de la Independencia y los años de la Restauración, los gustos y las opiniones de Goya son demasiado diferentes de los que acepta el poder, de modo que su desdoblamiento le permite refugiarse en una especie de exilio interior. Después, en la última década de su vida, y a consecuencia de otra enfermedad, que refuerza su decisión de dedicarse sólo a lo esencial, se sumerge en el mundo de sus fantasmas hasta tal punto que le parece inútil mostrar a sus contemporáneos en general el resultado de sus incursiones. Así adquiere forma una obra única en la historia de la pintura, en el sentido de que obedece sólo a las exigencias del pintor, sin el menor compromiso con el gusto común. Progresivamente, una parte cada vez más importante de la obra de Goya se aleja de la valoración pública. Primero los dibujos (que hace en grandes cantidades y reúne en álbumes), después los grabados, y por último las pinturas.

Ante todo debemos tener en cuenta el valor que supone esta decisión (que Goya no tomó de un día para otro), aunque es cierto que nunca arriesga del todo sus intereses materiales. Cuando se pone enfermo por primera vez, es ya un hombre maduro que goza del reconocimiento de los demás pintores, del público y de sus mecenas de la corte española. Como nada tiene de asceta ni de cabeza loca, hasta el final de su vida seguirá asegurándose ingresos regulares haciendo lo que sea preciso para no perder el sueldo de palacio y realizando –cada vez menos, es verdad– los encargos que recibe, tanto retratos como cuadros alegóricos y religiosos. Pero lo que sacrifica no es poco, y prueba de ello es que no conocemos ningún otro ejemplo de un gesto parecido, ni antes ni después de él. Recordemos un episodio relativo a los *Desastres de la guerra*. Considera que sería una especie de cobardía, o en cualquier caso que no se sometería lo suficiente a la exigencia de verdad y de sinceridad totales, mostrar sólo los grabados que reflejan la guerra patriótica y omitir las demás «fatales consequencias» de los cambios políticos, es decir, el despliegue de medidas represivas, y por lo tanto decide no publicar la serie a la que ha dedicado años de trabajo y que sabe, con razón, que supone una de las cimas de su obra. Renuncia a las satisfacciones a su amor propio que habría podido proporcionarle la difusión parcial de los grabados, por no hablar de los beneficios materiales. Una honestidad tan radical y semejante valentía son excepcionales.

En la presente investigación sólo hemos tenido en cuenta las obras de la vertiente privada de la actividad de Goya, que también podemos llamar el régimen nocturno de su creación. ¿Cómo expresar en palabras los avances intelectuales que suponen? Ante todo constatamos que esos avances tienen que ver no con uno, sino con varios ámbitos de reflexión, y que nos llevan por diferentes direcciones.

El primer ámbito es el más directamente relacionado con su manera de pintar. Dado que para Goya la pintura es fundamentalmente crear imágenes fieles al mundo («significar quanto Dios ha creado», «conseguir la imitación de la verdad»), podemos decir que se trata de una reflexión sobre el conocimiento y a la vez sobre la representación. En este caso su aportación tiene su origen en el espíritu de la Ilustración, esa corriente de ideas que altera radicalmente la antigua jerarquía de valores, ya que prioriza la libertad individual y el juicio racional en detrimento del respeto a las tradiciones. Los hombres dejan de someterse a la sabiduría ancestral, a las normas y convenciones de la sociedad en la que han nacido, y deciden recurrir a su espíritu crítico, enfrentarse a las instituciones y huir del conformismo. Hemos entrado en la «época de los individuos», como decía Benjamin Constant a principios del siglo XIX.

Las consecuencias de este desplazamiento son incalculables, y afectan tanto a la estructura política de los Estados como al quehacer artístico. Para los europeos del siglo XXI, la oposición a las jerarquías, el derecho a la igualdad, y la libertad respecto de los cánones establecidos se han convertido en evidentes, de modo que olvidamos lo que suponían en la época de Goya, cuando sólo podían surgir de un grito de rebeldía. La propia decisión de adoptar una manera personal de pintar frente a la que se ajusta a las normas comunes presupone una revolución de mentalidad. Así, elige su manera de expresarse, a la que se mantendrá fiel, sin pretender que el consenso colectivo legitime sus visiones. La búsqueda personal de verdad prima sobre la comunicación social. Alcanza así un nivel más en la ascensión del individuo, que ya no espera reconocimiento, ni siquiera la simple respuesta de los demás.

A partir del momento en que el individuo se apropia de este nuevo espacio, el sistema de valores en el que vivía la sociedad anterior pierde su base. Probablemente Goya no se considera ateo, pero, además del hecho de que critica mordazmente a los representantes de la Iglesia, jamás menciona la perspectiva de la salvación en términos cristianos, ni la promesa de vida eterna. El cadáver que Goya graba en *Desastres 69*, que vuelve del otro mundo para decirnos lo que ha encontrado, resume su mensaje en una palabra: «Nada» (**fig. 22**). Han desaparecido además las referencias al orden cósmico del que Dios era garante, que permitiría organizar y hacer inteligibles las experiencias de todo el mundo. Goya ha renunciado a los ciclos que él mismo ilustraba en sus primeros años, las cuatro estaciones o las cuatro grandes formas de trabajo útil. No recurre a agrupaciones convencionales, como las cuatro partes del día, los cuatro elementos, los cinco sentidos y los siete pecados capitales. Los actos y los objetos han dejado de formar parte de una red de correspondencias y de ritmos, y han perdido todo sentido que pudiera apuntar más allá de sí mismos. Ahora deben percibirse de forma literal, por lo que son, no por lo que designan. El retroceso de Dios ha provocado una crisis de sentido. El sufrimiento ya no es una prueba que envía Dios, sino sencillamente dolor, un escándalo, algo absurdo.

El ascenso del individuo transforma los modos de conocimiento, y en consecuencia de representación, lo que a su vez tiene efectos inmediatos en la práctica de la pintura. Goya adquiere consciencia de que este conocimiento depende necesariamente de una subjetividad, de que siempre captamos el mundo a través de una mente, la de un individuo. Desde este punto de vista, esta revolución es simétrica e inversa a la que dos siglos antes había logrado que la humanidad pasara de la visión geocéntrica del mundo a la heliocéntrica. En esta ocasión asistimos al paso del teocentrismo, que garantiza la objetividad del mundo y de su conocimiento, al antropocentrismo. Goya es más que un contemporáneo de Kant. Es –a este respecto– su cómplice. Es sin duda Kant quien centró su atención en la finitud irreductible de todo conocimiento humano. El descubrimiento kantiano consiste en establecer que para nosotros, individuos que formamos parte de un espacio y un tiempo, y por lo tanto seres finitos, el mundo (en sí mismo) y su representación (la que hacemos nosotros para nosotros) son dos entidades distintas. No podemos conocer la existencia de las cosas sin pasar por la subjetividad. Nos es imposible acceder a los objetos en sí. Nuestra mente sólo conoce imágenes de las cosas, nunca las cosas en sí.

A principios del siglo siguiente, Hegel trasladará este descubrimiento a la historia del arte. Afirma que al principio los hombres aceptaban las formas del mundo como un dato objetivo, pero en la época moderna todo debe pasar por el filtro de la subjetividad. Los filósofos necesitan gruesos volúmenes para exponer estas nuevas ideas, pero a Goya le bastan unas pinceladas en una tela para dejar claro que en la naturaleza no hay líneas, que sólo tenemos acceso a los objetos mediante nuestra percepción, siempre y exclusivamente parcial, y que debemos asumir nuestras decisiones.

Todos los pintores del pasado, que presentaron el mundo como pensaban que era, no como lo veían, partieron de una premisa, que es también la de todos los etnocentristas: se apoyaron ingenuamente en que su visión no era una visión entre otras, sino la cosa en sí. Es cierto que la introducción de la perspectiva hizo que se tambalease esta ilusión, pero el reconocimiento de la subjetividad seguía siendo limitado. Se admitía la presencia del que observa, pero nada en los objetos representados indicaba que lo que vemos en los cuadros no era el objeto en sí, sino una visión subjetiva. Entendemos la prudencia de estos pintores, porque dudar de la posibilidad de conocimiento objetivo, al margen de toda perspectiva, relativo al infinito, no ya a los seres finitos que somos, dudar del conocimiento absoluto, no sólo relativo, significaría que hemos renunciado a pensar el universo en relación necesaria con Dios.

Se supone que la divinidad es la depositaria de la omnisciencia. Ahora bien, tras la revolución humanista es lo relativo lo que permite construir lo absoluto, lo finito lo que permite imaginar lo infinito, y lo subjetivo lo que permite postular lo objetivo. En este sentido, fueran cuales fueran sus creencias y convicciones íntimas, Goya se sitúa de entrada en un mundo sin Dios, porque es evidente que ya no cree en la posibilidad de acceder a la identidad de las cosas sin pasar por una percepción humana particular, una posibilidad de la que Dios, en su omnisciencia, era garante. Si ya sólo pinta su visión subjetiva del mundo, quiere decir que ya no puede apoyarse en esta certeza, y por lo tanto es como si Dios ya no estuviera. Por lo demás, Goya ya no se preocupa de la perspectiva en sus cuadros. Su presencia subjetiva se expresa de manera mucho más fuerte: ha renunciado a representar los objetos en sí mismos, y también a reproducir los colores (el color existe tan poco como la línea). Todo depende de la luz –inestable y fugitiva–, y Goya pinta lo que ve, no lo que es. No es el primero que lo hace, pero con él esta tendencia pasa a ser irreversible.

No debemos malinterpretar el sentido de este reconocimiento de la mirada subjetiva. En ningún caso la obra de Goya contribuye a ensalzar el yo en detrimento del resto del mundo. El pintor se ha representado a sí mismo en varias ocasiones, pero sus autorretratos no sugieren la complacencia narcisista. Es significativo que en su último retrato aparezca con otro individuo, el doctor Arrieta (y varios fantasmas). Goya no coloca su persona en el lugar de la realidad objetiva. Se trata sencillamente de que el único acceso a esa realidad objetiva que conoce es subjetivo. Asimismo, no pretende imprimir en todas sus obras el mismo estilo, para que el espectador que las observa diga: «Es sin duda un Goya». Esta reacción sería un contrasentido. El pintor querría que los espectadores no vieran en su obra ni la aspiración a la belleza, ni una lección de moral, ni la expresión de su singularidad. Lo que pretende es poner de manifiesto la identidad del mundo. No es culpa suya si lo primero que constatamos es que se trata de un Goya, pero tampoco es culpa nuestra. Lo que sucede es que llegó tan lejos en su búsqueda de la verdad que se quedó solo, y por eso apenas nos cuesta reconocerlo.

El impulso que da Goya a la evolución de la pintura consiste en legitimar las visiones individuales del mundo y en permitir la mezcla de lo objetivo y lo subjetivo en el conocimiento al que aspira este arte. Pero rechazar toda regla general, todo dictado de la tradición, no va unido a la renuncia al idioma común y a la comunicación, que queda en suspenso, pero no se rechaza. Su mensaje es de origen individual, pero apunta a lo general. Este idioma común son las formas que reconoce la percepción humana. Goya pretende representar ya no el mundo como es, sino su interpretación singular de este mundo. Incluso en sus *Disparates* más locos se expresa mediante formas que todos pueden reconocer. Pone en cuestión las convenciones de la perspectiva y las reglas de construcción del espacio, pero su pintura no deja de ser figurativa. La obra de Goya contiene en germen gran cantidad de elementos que se desarrollarán en el arte visual en los siglos siguientes, pero se detiene en el umbral de la abstracción incluso en sus imágenes más libres, como *El perro* de las Pinturas negras.

Su horizonte es compartir un idioma común, proponer una visión que pueda llegar a ser colectiva. En esto es ajeno al hiper-individualismo que se impondrá en el siglo XX. Para él la subjetividad no existe en sí misma (como tampoco el mundo objetivo). Es siempre y exclusivamente la relación de un sujeto con un objeto exterior a él y que existe independientemente de esa relación. Así, a diferencia de muchos artistas del siglo XX, Goya mantendrá siempre que sus visiones, por personales y «deformadas» que sean, son visiones de algo, no simples manifestaciones de su singularidad, puras expresiones de su yo. El universo de Goya está lejos de ilustrar el reino de lo arbitrario o el rechazo total de la comunicación. Renuncia al deseo de mostrar de inmediato sus imágenes a sus contemporáneos para influir en ellos o para recibir su admiración, pero mantiene la necesidad de dirigirse a una comunidad humana ideal, aunque sólo vaya a adquirir forma en las generaciones futuras. Reúne pues dos características que solemos considerar incompatibles: por una parte, reconoce la pluralidad de individuos y la subjetividad de su visión, y por la otra, busca una verdad que pueda compartirse, crea formas visuales que todos pueden identificar y se mantiene en un mundo común.

Esta forma de pensar el conocimiento y la representación es la que permite incluir a Goya en la estela de la Ilustración, pese a que se mantenga al margen de las preocupaciones estéticas que imperan en el pensamiento de su tiempo. La estética de la Ilustración, de Shaftesbury a Kant, elimina las funciones didácticas del arte y lo considera básicamente una materialización de lo bello que lleva a la contemplación y al placer desinteresados. Se honra la autonomía del arte. A principios del siglo XIX la estética romántica continuará con esta tendencia y venerará el arte en lugar de la religión. Defenderá, al menos en sus manifiestos, el arte por el arte. Pero estas ideas y este lenguaje eran ajenos a Goya, que, desde este punto de vista, es un artista anacrónico. Ni siquiera está seguro de que el término «arte» sea pertinente en su caso. Lo que él crea son imágenes, y por lo tanto representaciones del mundo, tanto del visible como del invisible. Son diferentes de las palabras, pero asumen una función paralela, lo que explica, entre otras cosas, la facilidad con la que incorpora leyendas. Sus imágenes se someten a una exigencia fundamental, la verdad, y ponen de manifiesto la emoción del pintor que las crea, emoción que el espectador está invitado a compartir. Toda idea de autonomía de las imágenes, o del placer desinteresado que deberían provocar, sería producto de otro malentendido. Sin embargo, todos nosotros participamos de ellas en el momento en que descubrimos estas obras, nos quedamos maravillados ante su calidad estética y exclamamos que son muy bellas.

Si las imágenes de Goya nos conmueven tanto hoy en día, si encontramos en ellas el eco, incluso la explicación, de acontecimientos recientes, muy posteriores a la muerte del pintor, es porque ha intentado con todas sus fuerzas entender los comportamientos, las actitudes y los gestos humanos, y representarlos de la manera más verídica. La verdad a la que aspira Goya no es la de las formas que se ofrecen a su mirada. No intenta restituir exactamente los objetos que lo rodean. La verdad que busca es la de las pasiones, el amor, la violencia, la guerra y la locura. Y para acceder a ella está dispuesto a romper con lo que le muestran los datos inmediatos de los sentidos. En sus imágenes encontramos menos un informe fáctico sobre lo acontecido en España durante su vida que una reflexión antropológica. Cuando representa a los personajes más variados –bandidos, soldados, caníbales, enajenados mentales y locos en trance– busca no su aspecto pintoresco, las circunstancias anecdóticas, sino las facetas desconocidas del ser humano.

A la vez que muestra las circunstancias concretas de los enfrentamientos de su tiempo, Goya logra captar una característica profunda de las conductas humanas, lo que permite explicar las reacciones de los espectadores de hoy en día ante sus imágenes. Yo mismo doy fe de ello. Cuando observo sus cuadros, sus grabados y sus dibujos, estoy tentado de ver en ellos la representación de acontecimientos de mi propia vida, de la Segunda Guerra Mundial, la guerra de Vietnam, la invasión de Irak o las violaciones en el Congo. Y no soy el único, como atestiguan gran cantidad de obras actuales sobre Goya. «Cualquiera que ha

visto, aunque sea por encima, los periódicos del último medio siglo
constatará que Goya había ilustrado hace más de ciento cincuenta
años las noticias más significativas», escribe Fred Licht en 1979.[43]
Añado un testimonio reciente. En abril de 2010 un prisionero de la
cárcel de la Santé, en París, toma como rehén a su psiquiatra durante
cinco horas, transcurridas las cuales lo libera y se entrega. Después le
preguntan al médico, Cyrille Canetti, cómo se explica lo que ha suce-
dido. En lugar de hablar de su experiencia, comenta la del prisionero,
y el nombre que inmediatamente se le pasa por la cabeza es el de Goya.
La cárcel le recuerda a una de las Pinturas negras, la que representa a
Saturno devorando a su hijo. «Es la sociedad eliminando a sus margi-
nados. La cárcel es una máquina de triturar lo humano».[44]

Al leer u oír este tipo de testimonios, somos conscientes del gran
cambio que ha sufrido la pintura en los dos últimos siglos. Al margen
de varios grandes artistas en los que podemos reconocernos, de alguna manera «los hijos de Goya», la propia idea de buscar en el arte
contemporáneo una clave para descifrar nuestro mundo tendría algo
de descabellada. En la actualidad las principales corrientes del arte
visual apenas se preocupan de formular una interpretación de lo real,
y quizá todavía menos de transmitir y de provocar en el espectador la
emoción que experimenta el artista. Se considera que el sentido y
la emoción son objetivos pasados de moda. Ya el impresionismo los
había sustituido por la mera búsqueda de la sensación. No podemos
culpar de esta evolución del arte a los contemporáneos de Kant o de
Baudelaire, ya que las ideas en las que creían han evolucionado hasta
un punto en el que les costaría reconocerse. Sin embargo, el hecho
está ahí: las grandes corrientes del arte contemporáneo han roto con
las exigencias que Goya hacía suyas.

Es sobre todo la fotografía la que asume esporádicamente el papel
que antaño desempeñaba la pintura, y por eso se me pasaban por la
cabeza las imágenes de la guerra de Vietnam o de Irak cuando contem-
plaba algunas obras de Goya. Repito que no es porque Goya se comporte como un reportero y se mezcle con los combatientes, con las
víctimas o con los internos. Son más bien algunos fotógrafos los que
consiguen dar un valor emblemático a sus imágenes y captar lo invisible más allá de lo visible. Son las fotos las que, en el mejor de los casos,
se parecen a los grabados de Goya, no a la inversa. De todos modos,
la comparación sólo puede ser parcial, porque ¿qué fotografía podría
captar a Saturno?

El segundo ámbito en el que avanza la reflexión de Goya ya no es el de la percepción y la representación, sino el de la psique humana. Sus ideas sobre este tema no se ajustan a la imagen que solemos hacernos del pensamiento de la Ilustración. Para él, el hombre no es un ser exclusivamente racional, en el sentido de que su comportamiento está siempre dirigido por la razón y la conciencia, sino que es interiormente múltiple e incoherente, y se debate entre pulsiones y deseos contradictorios. Algunas veces obedece a su conciencia, es cierto, pero más a menudo a fuerzas inconscientes que escapan a su control. Los pensadores liberales y los «filósofos» suelen pasar por alto esta vertiente oscura de la mente humana. Goya descubre en ella la afición de las personas, en especial de los hombres, a la violencia, que aflora en las circunstancias más variadas, como si no dependiera de ellas, y la fuerza de las pulsiones sexuales, que adoptan también las formas más diversas.

Estas manifestaciones de las profundidades humanas, disimuladas en la vida cotidiana pública, pueden observarse en las situaciones más marginales, como en el teatro o a través de las máscaras, el carnaval o las fiestas exuberantes. Estas exageraciones muestran un mundo más verdadero que ese otro que llamamos normal. Podemos observarlas también a través de diversos prejuicios y supersticiones sobre las brujas, los demonios y los fantasmas, en los que Goya no cree, pero en los que ve indicios que ponen de manifiesto la vida interior. Y también en los estados psíquicos que se producen durante el sueño y la «enfermedad» de la razón: sueños y pesadillas, fantasmas diurnos, delirios y locura. Por último, y por las mismas razones, llaman su atención los estados y momentos extremos: todo tipo de brutalidades, enfermedades, guerras y asesinatos, que permiten también observar y entender mejor nuestra singular especie humana. Todos estos temas están muy presentes en la obra de Goya.

La razón no queda libre de toda sospecha. No sólo porque, como hemos visto, produzca las pesadillas y la locura, que surgen de sus sueños, no de su ausencia, sino porque la razón, por su propia naturaleza, es un instrumento que permite encontrar justificaciones a los actos más condenables. Nada puede excusar el asesinato, la violación y la tortura si se los juzga por sí mismos. Pero, gracias a la razón, podemos vincular estos crímenes a objetivos lejanos. Los cometemos para defender al verdadero Dios, para defender la patria, para ofrecer la felicidad al pueblo y para liberar a los oprimidos de la Tierra. La relación entre estas entidades alejadas, que sólo puede llevar a cabo la razón, permite excusar lo inexcusable. Goya lo sabe, pero no se limita a mostrar los peligros que comporta la razón. Advierte contra uno de sus regímenes, pero al mismo tiempo lo reivindica. Sigue siendo la «divina razón» la que permite que todos y cada uno de nosotros nos liberemos.

La concepción de la psique humana que ilustra Goya no se ajusta a la vulgata racionalista de la Ilustración, pero no sorprendería a sus representantes más avisados, como Hume, Rousseau y Kant, por no hablar de autores algo más periféricos que en esa misma época elaboran teorías artísticas o crean un arte con preocupaciones bastante próximas a las de Goya, como la novela gótica de Ann Radcliffe y M.G. Lewis en Inglaterra, y la novela fantástica de novelistas como Cazotte y Potocki en Francia. Durante toda la primera mitad del siglo XIX y en adelante, los autores románticos europeos seguirán utilizando motivos sobrenaturales y diabólicos.

A principios del siglo XX, la equivalencia de estos temas con las profundidades inconscientes de la psique humana se convertirá en uno de los dogmas de la teoría psicoanalítica. Sabemos que Freud se interesó concretamente por las imágenes y los relatos de demonios y de fantasmas desde la Edad Media hasta el siglo XVIII, en los que ve la expresión de deseos prohibidos o síntomas de enfermedad mental. «No nos sorprendamos si las neurosis de aquellos lejanos tiempos se presentan vestidas de demonios», escribe. Y añade: «Para nosotros, los demonios son los malos deseos, los que no se aprueban y fluyen de impulsos que se rechazan y se reprimen».[45] Dedica un estudio a la «posesión demoniaca» de un pintor, unos cien años anterior a Goya, que representa escenas en las que personas se encuentran con el diablo. Goya estaría de acuerdo, pero su interpretación del mundo de los demonios es más abierta que la de Freud.

Al decidir representar las profundidades del alma humana, no sólo los cuerpos visibles, Goya avanza otro paso en el camino de la subjetividad. Como nadie sabe exactamente cómo son nuestros demonios internos, la libertad individual de quien los muestra aumenta. Todo conocimiento del mundo esta teñido de subjetividad (sólo conocemos nuestras percepciones de las cosas, no las cosas en sí). Pero ahora que lo cognoscible se ha ampliado a lo invisible, es decir, a nuestra interioridad, podemos hacer visibles las imágenes que se nos pasan por la mente, aunque escapen al control de la razón y de la opinión común. Poco importa que procedan de sueños y de fantasmas, o que incluso adopten formas sobrenaturales. Más que una posibilidad es una necesidad. Para acceder mejor a la verdad de las personas, es preciso estar dispuesto a renunciar al testimonio de los sentidos, a aceptar transformar o deformar lo que vemos para mostrarlo mejor. La observación debe aliarse a la invención en su búsqueda de la verdad. En este sentido Goya rompe con la gran tradición pictórica europea, que ha dominado su historia desde principios del siglo XV hasta finales del siglo XVIII, y que la pone al servicio de la representación del mundo *visible*. Se asigna la tarea –sólo en una parte de su obra, lo que hace que en lo sucesivo mantenga dos actividades paralelas– de poner en imágenes concretamente la parte invisible del mundo, la que vive en la imaginación de los hombres. Pero no por eso renuncia a la razón, sino que aspira a enlazar las dos vertientes del espíritu, no a la hegemonía exclusiva de una o de la otra.

El conjunto de estos avances del pensamiento se esboza desde la seria enfermedad de Goya, a finales del XVIII, cuando los *Caprichos* ven la luz. En los años siguientes, en especial los de la guerra de Independencia (1808-1813), aparecerá un tercer tema de reflexión, vinculado a la vida en sociedad, sobre todo en momentos críticos. No tiene ya que ver con el conocimiento y la representación, ni con la psicología del individuo. Ahora se trata de una verdadera antropología, a la que se suma una visión política y moral, que expresa, como antes, no mediante palabras, sino mediante algunos cuadros, los grabados de los *Desastres* y varias series de dibujos. Al enfrentarse a la guerra contra un invasor extranjero, pero también entre compatriotas de ideas opuestas, Goya hace un descubrimiento: aunque la guerra se presenta como algo que debe llevar a un objetivo deseable –el orden y la libertad–, no tarda en alcanzar tal intensidad que los fines en nombre de los cuales se emprendió se convierten en fútiles, incluso en indiferentes. Aunque se mate y se torture en nombre de Dios o de los derechos humanos, de la monarquía autoritaria o de la democracia, lo que cuenta es que se mata y se tortura. De paso, Goya ha puesto en evidencia la violencia de la que son capaces los hombres en cuanto creen estar en una situación de excepción. Hace el catálogo de estas formas de violencia sin establecer una jerarquía. La violencia de los bandidos está junto a la de los representantes de la justicia, la de la paz no se queda atrás respecto de la de la guerra.

Lo que Goya ha entendido es que el valor de los ideales que se defienden no justifica los crímenes que pueden cometerse en su nombre.

Años antes, en la época de los *Caprichos*, Goya, que está de acuerdo
con sus amigos liberales e ilustrados, fustiga los prejuicios y las supersticiones de la población, la ignorancia y la corrupción del clero, la
avaricia y el parasitismo de los ricos. A través de esta crítica del orden
imperante se dibujan de forma implícita los valores que aporta la Ilustración: libertad individual e igual dignidad de todos. Pero resulta que
son también los ideales que reivindica el invasor francés, aunque la
práctica de los invasores no es preferible a la del régimen que pretende
corregir.

Eso no significa que Goya defienda el orden antiguo. El hecho de
ver las tinieblas que nos rodean jamás lo hace inclinarse hacia los oscurantistas. Se dirige a otro lugar. No sólo constata decepcionado que las
prácticas no están a la altura de las teorías, sino que descubre que
las dos ideologías, la tradicional y la moderna, que reivindican el orden divino o el de los hombres, resultan ser igualmente insatisfacto-
rias. Es significativo que en los últimos años de creación Goya multi-
plique las imágenes de duelos en los que los dos adversarios son
exactamente iguales, por ejemplo la serie de curiosos contendientes del
álbum F (GW 1438-1443), o el *Duelo a garrotazos* de las Pinturas negras, incluso la *Victoria fácil*, el sorprendente dibujo de su último álbum, en el que los contendientes se parecen como si fueran gemelos
(H 38, **fig. 39**). Los enemigos forman imágenes en espejo. Las causas
por las que creen batirse no bastan para diferenciarlos.

Esta nueva aportación de Goya al pensamiento de su tiempo no se
parece ni a la mentalidad de sus amigos liberales e ilustrados, que luchan contra la ignorancia y sus prejuicios, ni siquiera a la de los pensadores más profundos de la Ilustración, que no se hacen ilusiones sobre
la posibilidad de curar definitivamente los males de la sociedad. Estas
reflexiones no contradicen el pensamiento de la Ilustración, pero no
proceden de ella, puesto que encuentran su punto de partida en esta
amarga constatación: sean cuales sean los ideales que se profesan, no
impiden que se mate y se torture. Los partidarios de los valores repu-
blicanos no son mejores que los defensores fanáticos de la patria y las
tradiciones. Si tuviéramos que encontrar a precursores de Goya en este ámbito, serían más bien los grandes dramaturgos y novelistas del pasado, que fueron conscientes de esta dimensión trágica de la condición
humana. Sin embargo, es Goya el que coloca este tema en el centro de
su atención, y vemos que este avance del pensamiento no podía producirse antes, ya que corresponde a ese momento decisivo de la moderni-

dad que llega tras la Revolución francesa, con las guerras napoleónicas, que se llevan a cabo con la excusa de luchar por la libertad y la igualdad.

Aunque Goya no tuvo muchos precursores en este camino, sí conocemos a muchos sucesores, aun cuando no siempre sean conscientes de que lo son. En este sentido lo que nos muestra es profético. Las guerras fratricidas que ensangrentaron Europa en los dos últimos siglos habrían podido lograr que los autores de aquellos tiempos se reconocieran en el pensamiento que expresan los *Desastres de la guerra*. Después de la Segunda Guerra Mundial, en especial tras enterarse de las atrocidades que se cometieron, antiguos deportados y antiguos soldados quisieron formular los principios de un nuevo humanismo, un humanismo después de Auschwitz y Kolyma.

«He hundido mi fe en el infierno», afirma un personaje portador de este pensamiento en la novela *Vida y destino*, del escritor-soldado Vassili Grossman, novela que describe en qué medida son equiparables esos enemigos mortales que son la Alemania nazi y la Rusia comunista. Este mismo personaje advierte contra la defensa violenta del bien, que se ha convertido en «una plaga, un mal más grande que el mal», y ya sólo le importan esas «personas sencillas que llevan en el corazón el amor a todo lo que está vivo».[46]

En la otra punta de Europa, la etnóloga Germaine Tillion aprende de verdad lo que es el humanismo al descubrir el sufrimiento de la resistencia clandestina y el envilecimiento que sufren las personas en los campos de concentración. Se reconoce en los dos enemigos implicados en la guerra de Argelia, y así entiende la naturaleza de los «enemigos complementarios», frente a los que se siente «fraternalmente solidaria y responsable de todos los culpables de los dos bandos». Y, como Goya, piensa que «las patrias, los partidos y las causas sagradas no son eternos. Lo que es eterno (o casi) es la pobre humanidad que sufre».[47]

Goya supo mostrar y analizar, como nadie antes que él, la naturaleza de la violencia humana. Sin embargo, no debemos llegar a la conclusión de que para él en los hombres no hay más que crímenes y vicios. En el pensamiento de Goya hay toda una tendencia positiva, que ha llamado menos la atención general, pero que no por eso está menos presente a lo largo de toda su obra, incluso dejando de lado las imágenes alegóricas, como la Verdad, la Justicia, la Libertad y la Razón. Esta exteriorización de la violencia adquiere dos grandes formas. En una serie de imágenes Goya muestra la plenitud del individuo en el ejercicio de su oficio, ya sea el de campesino, artesano, herrero o aguadora. Y la actitud de Goya frente a la profesión que él ejerce, la pintura, lo confirma. Encuentra su dignidad en su trabajo. Una vida dedicada a interpretar y representar el mundo merece respeto. No podemos evitar que nos sorprenda esta abundante creación, que se mantiene durante casi sesenta años y de la que nos han llegado casi dos mil obras: pinturas murales, cuadros, grabados, litografías, etc. El dibujo que lleva por leyenda *Aun aprendo* (**fig. 31**), que el pintor realiza a los ochenta años, adquiere aquí el valor de un manifiesto. Este autorretrato simbólico afirma la obstinación del creador, pero también su fe en el camino que ha elegido, del que nada podrá apartarlo.

Otra fuente de alegría está en el simple hecho de la relación humana. Goya sabe (y muestra) que la relación entre individuos se convierte a menudo en el lugar en el que se manifiestan la brutalidad, la codicia y la hipocresía, pero en ningún caso podemos llegar a la conclusión de que en sus imágenes «el infierno son los otros», ni que debería dejarse de interactuar con los demás. Goya es un observador despiadado del mundo humano, pero no es ni un profesor de desesperación ni un nihilista. Sabe captar las manifestaciones felices de la sociabilidad en todos los ámbitos, por ejemplo en el amor, como ilustra el dibujo C 84, que lleva por leyenda *Nada nos ymporta*, que muestra a una pareja intercambiando miradas tiernas, o en el placer sexual, que evocan por ejemplo las posturas lánguidas del hombre y la mujer en *Despertar por los aires* (**fig. 30**), pero también en situaciones menos previsibles, como la del viejo feliz en un columpio, al que nada puede detener (**fig. 42**).

El pensamiento antropológico que observamos en las imágenes de Goya fundamenta sus elecciones políticas y morales. Como el ser humano es plural, como está incluso desgarrado entre aspiraciones contradictorias, ninguna política dogmática puede servirle de forma adecuada. Los hechos son siempre ambivalentes, y son frecuentes los cambios de perspectiva. Los buenos se convierten en malos, y las víctimas de ayer son hoy verdugos. Los diferentes valores a los que aspiran los hombres son necesariamente incompatibles entre sí, e incluso los mejores ideales son traicionados cuando se intenta imponerlos por la fuerza. Sería ventajoso que los proyectos políticos fueran humildes y prudentes. Contemplando las imágenes de Goya, podemos pensar que en lugar de servir a grandes ideales, debemos preocuparnos de los individuos, a los que ahora reconoce no sólo como fuente de su saber, sino también como fin de toda acción. Durante sus años de madurez, el pintor decide vivir en el exilio –primero interior y después exterior–, lo que indica claramente que prefiere la libertad individual a la comodidad de la que podría disfrutar defendiendo la opinión imperante y mayoritaria. Prefiere pues los regímenes políticos liberales, que permiten acceder a esta libertad.

Al mismo tiempo, la relación de persona a persona es más importante para Goya que la que mantiene el individuo con el poder político. La amistad, el amor, la ayuda mutua y la preocupación por los demás son valores a los que nunca renunciará. No es casualidad que muestre con gran simpatía a las víctimas, tanto de fuerzas naturales –enfermedades, incendios, naufragios– como de la avidez humana, del fanatismo, de la estupidez y de la violencia. Entre ellas están las mujeres violadas por los bandidos, los niños privados de sus padres, los hombres descuartizados por sus enemigos, las víctimas de la Inquisición, los ejecutados, los torturados y los encarcelados: «por casarse con quien quiso», «por no haber escrito para tontos», «por liberal» (fig. 19). La reacción que suscitan estas víctimas, sea cual sea la causa de su sufrimiento, es la compasión, que está ejemplarmente representada en el buen médico Arrieta (il. 19), pero el pintor la propone también a sus espectadores bajo la extraña forma de una compasión sin sentimentalismos, que sólo puede proceder de los individuos. Poco importa el nombre que se le dé –amor caritativo, misericordia, simpatía–, poco importa el marco religioso o filosófico del que proceda. Esta «bondad sin pensamiento», como la llama Grossman, bondad impotente y a la vez invencible, es lo más valioso que poseen los seres humanos. Para detener los arrebatos de la razón, nada como el amor a un individuo.

Una vez más, como en el caso de su concepción sobre la pintura, Goya innova, pero sin renunciar al marco del que ha partido. Su pensamiento encuentra su punto de partida en el espíritu de la Ilustración, que descubre a su alrededor, pero enseguida rechaza sus límites y descubre los puntos negros. En el fondo poco importa la etiqueta que se le ponga, si se lo coloca dentro o fuera de la Ilustración. Se ha impregnado de una visión del mundo, pero no ha dudado en transformarla. Educado en la mentalidad ilustrada, supo explorar y mostrar lo que la Ilustración dejaba en la sombra, las fuerzas nocturnas, que dirigen la conducta de los hombres tanto como su voluntad y su razón. Pero Goya nada tiene de ideólogo ni de profeta. No pretende darnos una lección. No es un predicador ni un educador. Como el sabio, el artista debe dejarse guiar por una sola exigencia, única pero despiadada: tender a la verdad tanto como le sea humanamente posible. Goya no nos propone remedios. Se limita a explorar la condición humana, que ya es bastante complicado. Es un artista, de modo que no pretende *imponer*. Se limita a *proponer*. Sus valores son conocidos –verdad, justicia, razón y libertad–, pero sabe mejor que sus contemporáneos qué trampas nos esperan en este camino. La verdad vivirá, sí, pero siempre y cuando no olvidemos los monstruos crueles.

Notas

1. Matheron, p. 9; Yriarte, pp. 1-2, 119.
2. Ortega y Gasset, p. 266.
3. Todos los textos de Goya están recogidos en el *Diplomatario*. Se consignan las cartas por la fecha, que aparece entre corchetes cuando la han añadido los editores.
4. Matheron, pp. 29-30, 59-60; Yriarte, p. 5.
5. Reproducido en Tomlinson, *Goya...*, p. 307.
6. Malraux, p. 110.
7. Potocki, pp. 117, 72, 124.
8. Baudelaire, pp. 567-570.
9. Hofmann, «Bosco y Goya»; Shakespeare, *A buen fin no hay mal principio*, II, 3.
10. Hegel, pp. 9, 24, 149.
11. Goya, *Les Caprices*, pp. 31-32.
12. Thomas à Kempis, p. 42.
13. *Correspondance*, vol. II, pp. 401-403. Werner Hoffman cita este pasaje en su libro sobre Goya, *To Every Story...*
14. Baudelaire, pp. 568-569.
15. Ortega y Gasset, p. 281.
16. Tsvetaeva, vol. V, p. 284.
17. Carr, p. 107.
18. Citado por Hughes, pp. 263-264.
19. *Xénie apprivoisée*, citado por J. Le Rider, «Préface», en Goethe, *Écrits autobiographiques*, p. LXXII.
20. Matheron, p. 83.
21. Montaigne, III, 8.
22. Goethe, *Hermann et Dorothée*, pp. 124, 127.
23. Malraux, p. 110.
24. Goethe, *Conversations avec Eckermann*, pp. 550-551.
25. Lafuente Ferrari, *Goya*, pp. XIV-XV.
26. Citado en Pérez Sánchez, p. 201.
27. Tsvetaeva, vol. I, p. 576.
28. Rousseau, p. 175.

29. Erasmo, *Elogio de la locura*, LIX.
30. Smith, III, 2, p. 130.
31. Potocki, pp. 124-125.
32. Matheron, p. 6.
33. Citado por Hughes, p. 324.
34. Balzac, pp. 646-652.
35. Bonnefoy, p. 70.
36. Gassier, *Les Dessins de Goya*, vol. II, p. 54.
37. Hofmann, *To Every Story...*, pp. 133, 318.
38. Gary, pp. 17-19.
39. Citado por Matheron, p. 93.
40. *Ibídem*.
41. *Ibídem*, pp. 97-98.
42. Carta publicada por E. Young.
43. Licht, p. 105.
44. *Le Monde*, 14 de abril de 2010.
45. Freud, «Une névrose démoniaque au xviie siècle», en *Essais de psychanalyse appliquée*, pp. 211-212.
46. Grossman, pp. 346, 341, 344.
47. Tillion, pp. 210, 424.

Bibliografía

Fuentes

GASSIER, Pierre y WILSON, Juliet, *Francisco Goya*, Friburgo, Office du Livre, 1970 (catálogo).

GASSIER, Pierre, *Les Dessins de Goya*, Friburgo, Office du Livre; París, Vilo, vol. I, *Les Albums*, 1973; vol. II, *Dessins pour peintures...*, 1975.

GOYA, Francisco de, *Diplomatario*, ed. de Ángel Canellas López, Zaragoza, Institución Fernando el Católico, 1981.

—, *Cartas a Martín Zapater*, Madrid, Turner, 1982.

—, *Diplomatario, addenda*, ed. de Ángel Canellas López, Zaragoza, Institución Fernando el Católico, 1991.

—, *Les Caprices*, París, Éditions de l'Amateur, 2005.

LAFUENTE FERRARI, Enrique, *Gravures et lithographies*, París, Arts et Métiers Graphiques, 1961 (reed. París, Flammarion, 1989).

YOUNG, Eric, «Unpublished Letter from Goya's Old Age», *The Burlington Magazine*, 114, agosto de 1972.

Catálogos de exposición (en orden cronológico)

PÉREZ SÁNCHEZ, E. Alfonso y SAYRE, Eleanor A. (dirs.), *Goya and the Spirit of Enlightenment*, Boston, Museum of Fine Arts, 1989.

WILSON-BAREAU, Juliet y MENA MARQUÉS, Manuela B. (dirs.), *El capricho y la invención*, Madrid, Prado, 1993.

—, (dir.), *Truth and Fantasy: The Small Paintings*, New Haven y Londres, Yale University Press, 1994.

—, *Drawings*, Londres, Hayward Gallery, 2001.

BROWN, Jonathan y GALASSI, Susan Grace (dirs.), *Goya's Last Works*, New Haven y Londres, Yale University Press, 2006.

Estudios

BATICLE, Jeannine, *Goya*, París, Fayard, 1992. [Traducción española: Barcelona, Crítica, 1995.]

BONNEFOY, Yves, *Goya, les peintures noires*, Burdeos, William Blake & Co., 2006.

DOMERGUE, Lucienne, *Des délits et des peines*, París, Honoré Champion, 2000.

GASSIER, Pierre, *Goya témoin de son temps*, Friburgo, Office du Livre, 1983. [Traducción española: *Goya, testigo de su tiempo*, Madrid, Ediciones de Arte y Bibliofilia, 1984.]

Goya (obra colectiva), Barcelona, Galaxia Gutenberg, 2002.

HOFMANN, Werner, *To Every Story There Belongs Another*, Londres, Thames & Hudson, 2003. [Original alemán: *Vom Himmel durch die Welt zur Hölle*, Múnich, Beck, 2003.]

—, «Bosco y Goya», en *El Bosco y la tradición pictórica de lo fantástico*, Barcelona, Galaxia Gutenberg, 2006.

HUGHES, Robert, *Goya*, Londres, Vintage, 2004. [Traducción española: Barcelona, Galaxia Gutenberg, 2004.]

ILATOVSKAYA, Tatiana, *Master Drawings Rediscovered*, Nueva York, Harry Abrams, 1996.

LICHT, Fred, *Goya*, Nueva York, Harper & Row, 1983. [Traducción española: Madrid, Encuentro, 2001.]

LÓPEZ-REY, José, *Goya's Caprichos, Beauty, Reason and Caricature*, Princeton, Princeton University Press, 1953, 2 vols.

MALRAUX, André, *Saturne. Essai sur Goya*, París, Gallimard, 1950.

MATHERON, Laurent, *Goya*, 1858. [Traducción española: Madrid, Ayuntamiento de Madrid, 1996.]

MULLER, Priscilla E., *Goya's «Black» Paintings*, Nueva York, Hispanic Society of America, 1984.

ORTEGA Y GASSET, José, *Velázquez et Goya* (*OEuvres complètes*, vol. III), París, Klincksieck, 1990. [Original español: *Papeles sobre Velázquez y Goya*, Madrid, Alianza, 2005.]

ROQUET, Claude-Henri, *Goya*, París, Buchet-Chastel, 2008.

TOMLINSON, Janis A., *Goya in the Twilight of the Enlightenment*, New Haven y Londres, Yale University Press, 1992. [Traducción española: Goya en el crepúsculo del siglo de las luces, Madrid, Cátedra, 1993.]

—, *Francisco Goya y Lucientes, 1746-1828*, Londres, Phaidon Press, 1994.

WALDMANN, Susan, *Goya and the Duchess of Alba*, Múnich, Prestel, 1998.

WILLIAMS, Gwyn A., *Goya and the Impossible Revolution*, Londres, Allen Lane, 1976. [Traducción española: *Goya y la revolución imposible*, Barcelona, Icaria, 1978.]

WILSON-BAREAU, Juliet, *Goya's Prints*, Londres, British Museum, 1981.

YRIARTE, Charles, *Goya*, 1867. [Traducción española: Zaragoza, Gobierno de Aragón, Centro del Libro de Aragón, 1997.]

Las obras de Fred Licht y de Werner Hofmann me han sido especialmente útiles.

OTRAS OBRAS

BALZAC, Honoré de, «Lettre à M. Hippolyte de Castille», en *Oeuvres complètes*, vol. XL (*OEuvres diverses*, vol. III), París, Conard, 1940.

BAUDELAIRE, Charles, «Quelques caricaturistes étrangers», en *Oeuvres complètes*, París, Gallimard, Bibliothèque de la Pléiade, vol. II, 1976.

BELL, David A., *La Première Guerre totale*, Seyssel, Champ Vallon, 2010.

CARR, Raymond, *Spain 1808-1975*, Oxford, Clarendon Press, 1982. [Traducción española: *España, 1808-1975*, Barcelona, Ariel, 1999.]

ERASMO DE ROTTERDAM, *Elogio de la locura*, múltiples ediciones.

FREUD, Sigmund, *Essais de psychanalyse appliquée*, París, Gallimard, 1971.

GARY, Romain, *La Promesse de l'aube*, París, Gallimard, 1960 (reed. 1992). [Traducción española: *La promesa del alba*, Barcelona, Mondadori, 1997.]

GOETHE, Johann Wolfgang von, *Conversations avec Eckermann*, París, Gallimard, 1988. [Traducción española: Johan Peter Eckermann, *Conversaciones con Goethe*, Barcelona, Acantilado, 2005.]

—, *Écrits autobiographiques 1789-1815*, París, Bartillat, 2001.

—, *Hermann et Dorothée*, París, Aubier, 1991. [Traducción española: *Hermann y Dorotea*, Madrid, Espasa-Calpe, 1999.]

GOETHE-SCHILLER, *Correspondance 1794-1805*, París, Gallimard, 1994, 2 vols.

GROSSMAN, Vassili, *Oeuvres*, París, Robert Laffont, 2006. [Traducción española: *Vida y destino*, Barcelona, Galaxia Gutenberg, 2007.]

HEGEL, Georg Wilhelm Friedrich, *Esthétique. L'art romantique*, París, Aubier-Montaigne, 1964.

HERR, Richard, *The Eighteenth-Century Revolution in Spain*, Princeton, Princeton University Press, 1958. [Traducción española: *España y la revolución del siglo XVIII*, Madrid, Aguilar, 1973.]

HOFMANN, Werner, *Une époque en rupture, 1750-1830*, París, Gallimard, 1995.

MONTAIGNE, Michel de, *Essais*, París, Arléa, 1992. [Traducción española: *Ensayos completos*, Madrid, Cátedra, 2003.]

Potocki, Jean, *Manuscrit trouvé à Saragosse* (versión de 1810), París, Flammarion, 2008. [Traducción española: *Manuscrito encontrado en Zaragoza*, Valencia, Pre-Textos, 2002.]

Rousseau, Jean-Jacques, *Discours sur l'origine de l'inégalité, OEuvres complètes*, vol. III, París, Gallimard, Bibliothèque de la Pléiade, 1964. [Traducción española: *Discurso sobre el origen de la desigualdad entre los hombres*, múltiples ediciones.]

Shakespeare, William, *The Norton Shakespeare*, Nueva York y Londres, W.W. Norton & Company, 1997.

Smith, Adam, *The Theory of Moral Sentiments*, Oxford, Oxford University Press, 1976. [Traducción española: *La teoría de los sentimientos morales*, Madrid, Alianza, 1997.]

Starobinski, Jean, *L'Invention de la liberté. Les emblèmes de la raison*, París, Gallimard, 2006.

Tillion, Germaine, *Combats de guerre et de paix*, París, Seuil, 2007.

Kempis, Thomas À, *L'Imitation de Jésus-Christ*, París, Le Cerf, 1989. [Traducción española: Tomás de Kempis, *Imitación de Cristo*, múltiples ediciones.]

Tsvetaeva, Marina, *Sobranie sochinenij*, Moscú, Ellis Luck, 1994-1995, 7 vols.

Lista de figuras (grabados y dibujos) y créditos fotográficos

Los títulos añadidos aparecen entre corchetes. G = grabado.

1. *Pobre y desnuda va la filosofía*, E 28, GW 1398, Francia, colección particular. F© Collection archives GB.

2. *Sueño. De la mentira y la inconstancia*, GW 619, G. F© Collection archives GB.

3. *Caricatura alegre*, B 63, GW 423, Madrid, Museo del Prado. F© Photo12.com - Oronoz.

4. *Brujas a bolar*, B 56, GW 416, París, colección particular.

5. *Proclamación de brujas*, GW 626, Madrid, Museo del Prado. F© Photo12.com - Oronoz.

6. *El sueño de la razón*, GW 538, Madrid, Museo del Prado. F© Photo12.com - Oronoz.

7. Miguel Ángel, *El sueño*, Londres, Courtauld Institute. F© The Courtauld Institute of Art, 2011.

8. «¿Dónde va mamá?», *Capricho 65*, GW 581, G.

9. «Buen viaje», *Capricho 64*, GW 579, G.

10. *Visión burlesca. 4ª en la misma*, C 42, GW 1280, Madrid, Museo del Prado. F© Photo12.com - Oronoz.

11. «Enterrar y callar», *Desastre 18*, GW 1020, G.

12. «Con razón o sin ella», *Desastre 2*, GW 995, G.

13. «Lo mismo», *Desastre 3*, GW 996, G.

14. «Tampoco», *Desastre 10*, GW 1006, G.

15. «Madre infeliz!», *Desastre 50*, GW 1074, G.

16. «Tampoco», *Desastre 36*, GW 1051, G.

17. «Estragos de la guerra», *Desastre 30*, GW 1044, G.

18. *Será lo mismo*, GW 1028, Madrid, Museo del Prado. F© Photo12.com - Oronoz.

19. *Por liberal?*, C 98, GW 1334, Madrid, Museo del Prado. F© Photo12.com - Oronoz.

20. *Que crueldad*, C 108, GW 1344, Madrid, Museo del Prado. F© Photo12.com - Oronoz.

21. *Muchos an acabado así,* C 91, GW 1327, Madrid, Museo del Prado. F© Photo12.com - Oronoz.

22. «Nada. Ello dirá», *Desastre 69,* GW 1112, G.

23. «Que locura!», *Desastre 68,* GW 1110, G.

24. *Dure la alegria,* C 116, GW 1351, Madrid, Museo del Prado. F© Photo12.com - Oronoz.

25. *Que quiere este fantasmon,* C 123, GW 1358, Madrid, Museo del Prado. F© Photo12.com - Oronoz.

26. «Fiero monstruo», *Desastre 81,* GW 1136, G.

27. *Hutiles trabajos,* E 37, GW 1406, colección particular. F© Collection archives GB.

28. *Regozijo,* D 4, GW 1370, Nueva York, Hispanic Society. © The Hispanic Society of America, Nueva York, 2011.

29. *Pesadilla,* E 20, GW 1393, Nueva York, Pierpont Morgan Library. Gift of Mr & Mrs Richard J. Bernhard, 1959. F© 2011 Pierpont Morgan Library/Art Resource/Scala Florence.

30. [*Despertar por los aires*], F 71, GW 1490, Nueva York, Metropolitan Museum of Art. © The Metropolitam Museum of Art/dist.SCALA.

31. *Aun aprendo,* G 54, GW 1758, Madrid, Museo del Prado. F© Photo12.com - Oronoz.

32. [*Saturno*], GW 635, Madrid, Museo del Prado. F© Photo12.com - Oronoz.

33. «Disparate desordenado», *Disparate 7,* GW 1581, G.

34. [*Lucha conyugal*], F 18, GW 1446, Madrid, Museo del Prado. F© Photo12.com - Oronoz.

35. *Mala muger,* Db, GW 1379, París, Musée du Louvre. © Prisma.

36. «[Disparate fúnebre]», *Disparate 18,* GW 1600, G.

37. [*Camino del infierno*], GW 1647, Madrid, Biblioteca Nacional.

38. *Gran disparate,* G 9, GW 1718, Madrid, Museo del Prado. F© Photo12.com - Oronoz.

39. [*Victoria fácil*], H 38, GW 1800, Madrid, Museo del Prado. F© Photo12.com - Oronoz.

40. [*El idiota*], H 60, GW 1822, San Petersburgo, Museo del Ermitage.

41. [*Fantasma bailando con castañuelas*], H 61, GW 1818, Madrid, Museo del Prado. F© Photo12.com - Oronoz.

42. [*Viejo en un columpio*], H 58, GW 1816, Nueva York, Hispanic Society. © The Hispanic Society of America, Nueva York, 2011.

Índice de obras de Goya

El primer número corresponde al del catálogo Gassier-Wilson. Los títulos que no son de Goya aparecen entre corchetes. El número en negrita remite a la reproducción de la imagen.

LA LLEGADA AL MUNDO, 1776-1792

CUADROS DE 1793-1794

DE LA ÉPOCA DE LOS CAPRICHOS, 1797-1798

CUADROS DE BRUJERÍA, 1797-1798

IMÁGENES DEL PERIODO 1812-1820

DESASTRES DE LA GUERRA, 1810-1820

ÁLBUM C, 1808-1814

ÁLBUM D, 1816-1820

ÁLBUM E, 1816-1820

ÁLBUM F, 1816-1820

PINTURAS DE 1814-1818

DISPARATES, 1818-1823

PINTURAS NEGRAS, 1820-1823

IMÁGENES DE 1818-1827

ÁLBUM G, 1824-1828

ÁLBUM H, 1824-1828

Índice onomástico

Índice